Rafa Brites

Síndrome da Impostora

Por que NUNCA nos achamos boas o suficiente?

academia

Copyright © Rafa Brites, 2020
Copyright © Editora Planeta do Brasil, 2020
Todos os direitos reservados.

Preparação: Karina Barbosa dos Santos
Revisão: Elisa Martins e Vanessa Almeida
Edição de texto: Daila Fanny
Assistência de pesquisa: Ricardo Costa
Diagramação e projeto gráfico: Marcela Badolatto
Capa: Túlio Cerquize
Fotografias de capa: Helder Fruteira
Maquiagem (fotos de capa): Mary Make

Dados Internacionais de Catalogação na Publicação (CIP)
Angélica Ilacqua CRB-8/7057

Brites, Rafa
   Síndrome da impostora: por que nunca nos achamos boas o suficiente? / Rafa Brites. – São Paulo : Planeta, 2020.
   144 p.

ISBN 978-65-5535-175-0

1. Autoestima em mulheres 2. Autoconhecimento 3. Brites, Rafa, 2020 - Memórias biográficas I. Título

20-3219   CDD 158.1

Índices para catálogo sistemático:
1. Autoestima em mulheres

MISTO
Papel | Apoiando o manejo florestal responsável
FSC® C019498

Ao escolher este livro, você está apoiando o manejo responsável das florestas do mundo

2025
Todos os direitos desta edição reservados
à Editora Planeta do Brasil Ltda.
Rua Bela Cintra, 986 – 4º andar – Consolação
01415-002 – São Paulo-SP
www.planetadelivros.com.br
faleconosco@editoraplaneta.com.br

AGRADECIMENTOS

*Agradeço a todas as mulheres
que tanto me inspiram nesta vida.
A minhas avós, tias, primas, sogra,
madrinha, amigas, parceiras de trabalho.
A minha sobrinha Miranda, minhas irmãs Gabi
e Lú, e Maria do Horto, minha amada mãe.
Todo meu amor e toda minha gratidão a vocês.
Agradeço também, é claro, ao meu pai, Potiguara,
ao meu parceiro de jornada, Felipe,
e ao meu maior presente da vida, Rocco.
Vocês me fazem brilhar.*

SUMÁRIO

A SOCIEDADE SECRETA   7

    A Impostora que vive em mim   13

    Impostora reincidente   22

    Cenas da mente de uma Impostora #1   24

    Hora do show   26

    A Sociedade Secreta das Impostoras Anônimas   29

    Aqui, pega um cabide   34

    Minha capacidade intelectual   35

    A saída é para dentro   36

O QUE ACONTECE POR TRÁS DA MÁSCARA   38

    O fenômeno   39

    Você faz parte do clube?   41

    Mas, calma aí, isso não acontece com os homens?   43

    EMPACAR   46

    Cenas da mente de uma Impostora #2   60

    TPM   62

    Que linda, e tão comportada!   65

    Quem disse?   67

    A exterminadora do presente   69

    Comparação e desamor   70

    Meus disfarces de luxo   72

Atenção: eu não represento todas	74
DESPINDO-SE DO DISFARCE	**79**
Hora de brilhar	80
Carta de desculpas	92
Cenas da mente de uma Impostora *rehab*	94
"NÃO" é uma frase completa	96
Transição de carreira	98
Quanto vale?	102
Abrace seu mico	106
Prefere 0 ou 50?	108
Espelho, espelho meu...	112
A bengala da aparência	114
Siga seu ciclo	116
Na cama com uma Impostora	124
Todo julgamento é uma confissão	126
Cenas da mente de uma ~~Impostora~~ ex-Impostora	128
Acertando o termômetro	130
Estou com você	133
Novo show	134
NOTAS	**139**

A SOCIEDADE
SECRETA

OIE!

Que prazer receber você aqui!

Se acomoda aí no sofá, na cadeira, na poltrona, no banco do ônibus, onde estiver. Caso seus filhos pequenos estejam chamando você, se refugia no banheiro pra gente conversar um pouco sobre a nossa vida.

Acredito que temos algo importante em comum.

Talvez você esteja a ponto de descobrir o que está empacando os seus sonhos.

O que tem impedido você de conquistar (ou desfrutar) aquilo que batalhou tanto para alcançar.

O que faz você achar que qualquer pessoa no mundo é mais qualificada.

O que fez você perder o brilho.

Pois é, você vai desvendar tudo isso aqui, junto comigo, percorrendo as palavras e os caminhos que percorri para evoluir diante de tanta insegurança.

Ahhh, e você nem imagina a minha felicidade de reunir tudo o que aprendi e, enfim, escrever um LIVRO! Uhuuu!

Calma.

Eu disse "livro"?

Pera aí...

Um livro que EU escrevi?!

Por que alguém leria um livro que *eu* escrevi?

EM BRANCO. Foi assim que, durante anos, ficaram as páginas dos livros que sonhei em escrever. Afinal de contas, quem sou eu para publicar um livro?

Não tenho uma história de vida como a do John Lennon, não tenho a luta da Malala nem o conhecimento do Stephen Hawking, não estou à frente do meu tempo como a Simone de Beauvoir.

Se ao menos eu tivesse feito Letras na USP...

Por que alguém como você, com tantas opções, escolheria ler um livro da Rafa Brites?

Então, escrever para quê? Para quem?

Diante desses questionamentos, tive que tomar uma atitude.

SÍNDROME DA IMPOSTORA

Tomei fôlego e pensei:
Sim, você é um ser único, singular! Todos possuem algo a ser dito nesta existência!
Bora escrever!

#expectativa

Fui até a cozinha, abri a geladeira e comi uma besteira. Peguei o celular e perdi uma hora no limbo da internet. Depois, procurei algo para tornar urgente: arrumar a minha gaveta de meias por ordem de cor e tamanho. E lá se foi mais um dia, engolido pela procrastinação.

#realidade

Eu sempre amei escrever. Nas provas da escola, no vestibular... a hora de escrever sempre foi meu momento favorito! Conquistei a maior parte dos meus seguidores nas redes sociais por meio dos meus textos. Virei colunista de revista impressa. Que chique. Mas calma... Um livro? Não, né, Rafa?

Bebeu?

Sim, um pouco. Mas isso não vem ao caso no momento. Sigamos...

Com o passar do tempo, percebi que toda vez que me sentava para escrever era como se eu estivesse tentando enganar alguém. Como se meu conhecimento nunca fosse suficiente para preencher um livro inteiro. Como se, a qualquer momento, ao folhear as páginas do meu livro, a leitora estivesse prestes a descobrir que eu era uma farsa.

Livros são eternos. As *fake news* já rolam soltas. Um *fake* livro não dá, né?

A IMPOSTORA QUE VIVE EM MIM

Com o passar dos anos, fui ficando mais incomodada com o eterno sentimento de que nada que eu fazia era suficiente para acreditar em mim mesma. Eu achava que minhas ideias e meus projetos não valiam o investimento. Isso me irritou a ponto de eu decidir ir mais a fundo, vasculhar os reais motivos que despertavam tanta insegurança. Venho de uma família tão incrível, que sempre me apoiou tanto, que isso não fazia sentido.

Então me atentei a algumas passagens da minha vida em que não só me senti uma Impostora como também empaquei, fiquei paralisada pelo medo.

O pior momento de todos aconteceu no ano de 2006. Eu tinha 20 anos. Acredito que este seja o principal e melhor exemplo pessoal que tenho de como a sensação de insuficiência pode nos impedir de realizar nossos sonhos.

> ATENÇÃO: *pegue um balde de pipoca, e se tiver um animal de estimação já deixe ele por perto. Talvez seja bom ter algo fofinho para abraçar.*

Eu cursava Administração. Antenada a tudo o que estava acontecendo, soube que uma multinacional tinha aberto um processo seletivo para *trainee*. Era aquela vaga que a maioria da galera da faculdade cobiçava, sabe? O assunto sempre aparecia nos corredores: "Quem será que vai conseguir?".

A motivação do pessoal era simples: a vaga oferecia o melhor salário do mercado.

Na onda dos colegas, me inscrevi no processo seletivo, mandando meu currículo escolar.

Sempre fui ótima aluna dentro dos padrões de excelência da minha época (hoje tenho uma visão totalmente diferente do que significa ser boa aluna). Meus boletins eram daqueles que todos os pais teriam *orgulho* de pendurar na geladeira (vixe, discordo dessa métrica também!).

Alguns dias depois, recebi um e-mail da tal empresa.

De: Empresa Multinacional
Para: Rafa Brites
Assunto: Convite para a próxima etapa do processo de seleção

Você está convidada para a próxima etapa do Processo Seletivo de Estágio! Nesta oportunidade, será apresentada a proposta de estágio e serão aplicadas provas de conhecimentos gerais, raciocínio lógico, inglês (gramática e *listening*), espanhol (opcional) e uma redação.

Local: Hotel Chique.

Obs.: Compareça ao local com caneta esferográfica azul ou preta e calculadora.

Eu diria que era um processo seletivo bem completo!

Fui lá fazer a prova com a calculadora e a caneta azul. Parecia vestibular, de tanta gente que tinha. Reconheci algumas pessoas da faculdade. Mas tinha muito mais gente. As vagas não eram cobiçadas só pela turma de Administração. Tinha jovens de todas as áreas e de todas as faculdades da cidade.

E o clima também era meio diferente do dos dias de vestibular, quando rola aquela *vibe* mais adolescente, com o pessoal de bermuda e jeans. Os candidatos estavam megaformais. Terno e camisa. Saia lápis e salto fino. E eu de tênis e macacão, com a caneta azul e a calculadora no bolso. Foi só depois que me avisaram que nosso comportamento já seria analisado.

Ih, dancei...

(Quem mandou ir vestida de Punky, a Levada da Breca? Aproveito essa referência para dizer a minha idade: nasci em 1986.)

Mas já que eu estava lá, bora fazer essa prova. Quem sabe aprenderia alguma coisa.

Dias depois, chegou mais um e-mail.

> **De:** Empresa Multinacional
> **Para:** Rafa Brites
> **Assunto:** E-mail de convite
>
> Parabéns! Você está convidada para a etapa de Dinâmica de Grupo do Programa de Estágio!
>
> **Local:** Hotel Bacana.

Lá fui eu de novo, mas, dessa vez, de salto alto, camisa azul e calça social.

A dinâmica seria uma competição entre vários grupos, cada um com dez pessoas. Havia quatro psicólogas nos analisando. Uma delas perguntou:

"Quem quer ser o líder do grupo?".

Pensei em falar: "Eu!". Mas, antes que eu falasse, três colegas homens se prontificaram.

> **Lição 1**
> *Liderança é um ativo importante no mundo dos negócios.*

A psicóloga interveio:

"Vocês precisam decidir entre si quem vai ser o líder".

Os três, quase ao mesmo tempo, se apontaram:

"Ah, ok. Pode ser ele".

"Pode ser ele".

"Pode ser ele".

> **Lição 2**
> *Cordialidade é um ativo importante no mundo dos negócios.*

Então uma candidata falou:
"Vamos tirar par ou ímpar?".
Todos concordaram.
Foi aí que eu falei:
"Pessoal, não acho que sorte ou acaso deva ser nosso mecanismo de escolha do líder".

> **Lição 3**
> *Imparcialidade ou justiça é um valor importante no mundo dos negócios.*

Virei para a psicóloga e perguntei:
"Temos mais uns dez minutos?".
"Temos, sim", ela respondeu.
Propus que nos apresentássemos. Como ninguém se conhecia, sugeri que falássemos quais características nos

> **Lição 4**
> *Meritocracia é (ou deveria ser) a base da construção do mundo dos negócios.*

tornavam bons líderes e contássemos uma pequena passagem da vida em que agimos no papel de liderança. No final, a gente faria uma votação.

A psicóloga anotou algo na prancheta e deu um sorriso.
Ponto para mim!
Cada um, então, contou uma história breve, mas bem heroica, de liderança.

Quando chegou minha vez, me deu uma baita vontade de dizer: "Olha, eu não tenho uma história linda dessas. Aliás, vocês nem têm como comprovar as histórias que acabaram de contar, não é verdade? Euzinha sou a ÚNICA aqui que tem uma história que pode ser comprovada, porque acabei de convencer vocês nove a fazerem essa apresentação e as quatro psicólogas a nos darem mais dez minutos".

É claro que eu diria tudo isso sem grosseria. Em harmonia (risos internos).

Mas fiquei só na vontade. Falar que sou líder? Credo!

"Então, pessoal, não faço questão de ser líder."

De qualquer forma, o que fiz agradou a quem estava nos observando.

Dias depois, um novo e-mail chegou.

> **De:** Empresa Multinacional
> **Para:** Rafa Brites
> **Assunto:** E-mail de convite
>
> Parabéns! Você foi convidada para a etapa de Entrevistas do Programa de Estágio!
> Serão duas entrevistas: uma em português e outra em inglês.
>
> **Local:** Sede da Empresa Multinacional.

A primeira entrevista, em português, correu superbem.

Eu estava até tranquila para a segunda parte, até saber que seria com o CEO mexicano responsável pelo ramo latino-americano da multinacional. Resumindo: era o cara mais f* daquele prédio inteiro.

Ok, ok... Continue a nadar...

Cheguei lá. O CEO era um homem de uns 50 e poucos anos, bem simpático.

"*Hello, miss Rafaella. How are you doing?*" (Olá, senhorita Rafaella. Tudo bem?)

"*Hello, sir. I am fine, and you?*" (Olá, senhor. Estou bem, e o senhor?)

"*Blah blah blah.*" (Blá blá blá.)

"*Blah blah blah.*" (Blá blá blá.)

"*What do you think about the facilities here?*" (O que você acha de *facilities* daqui?)

...

Paralisei.

Facilities? Que palavra é essa? Será que são "facilidades"? Será que ele está perguntando se eu acho que o processo aqui vai ser fácil?

Não tive dúvida:

"*Excuse me. Do you mind if I search for something here?*" (Desculpe. O senhor se importaria se eu procurasse por uma coisinha aqui?)

Ele riu.

Juro por tudo que é mais sagrado: peguei meu dicionário inglês-português (não existia 4G na época) e procurei *facilities*. Depois olhei para ele e disse em inglês:

"Desculpa, não sabia o que era *facilities*. Sei que estou aqui para aprender com o senhor, mas farei apenas perguntas que exijam respostas que eu não consiga procurar em outro lugar. Perguntas estratégicas. *And yes, I loved the facilities* (Sim, eu adorei o prédio)".

Dias depois, recebi este e-mail:

De: Empresa Multinacional
Para: Rafa Brites
Assunto: Integração de novos estagiários

Parabéns! Agora você pertence à nossa equipe!
Contamos com sua presença no Programa de Integração de Estagiários do ano de 2007.

Local: Hotel Megachique.

Eu havia sido selecionada entre milhares de candidatos. Não só para ser *trainee* da tal empresa, mas para ser *trainee* do CEO!

Ou seja: não só passei como passei na melhor vaga de todas! Uhuuu!
Entrei!
Uhuuu!

Trainee do CEO!
Vou viajar pelo mundo!

Dez segundos depois...

OI?!
Eu?
Como assim?
PQP... E agora?
Meu Deus, a hora que começar o trabalho "valendo", eles vão descobrir que eu não sou tão boa assim. Vão perceber que foi um grande erro! Que os outros mil eram muito melhores que eu! Que eu não sei nada!

Eu não sei qual é a capital da Tunísia. A propósito, onde fica a Tunísia mesmo? Eu não sei nada de geografia.

Eu não sei nada de nada.

Tive sorte de passar nesse processo seletivo.

Será que ganhei as pessoas no carisma? Na lábia?

Junto com esse caos interior, quando a notícia se espalhou – pasme! –, ouvi de algumas pessoas variações da mesma frase: "Ah, lógico que o CEO quer uma *trainee* mulher, gatinha, para desfilar pelos aeroportos. Tipo uma acompanhante de luxo".

Confesso que, escrevendo isso agora, meus olhos se enchem de lágrimas. Como pude ouvir isso e ficar quieta? Vontade de voltar no tempo e pegar aquela Rafa no colo. (Abrace seu bichinho de estimação neste momento.)

E foi isso.

Queria ter um fim melhor para essa história, por exemplo, "Dei a volta por cima e fui mais forte. Acreditei no meu potencial. Comecei o trabalho e dei conta de tudo. E hoje sou CEO dessa mesma empresa".

Mas não foi bem assim.

> **De:** Empresa Multinacional
> **Para:** Rafa Brites
> **Assunto:** Processo admissional – Documentação
>
> Olá, Rafaella!
> Estou entrando em contato para solicitar sua documentação, pois sem ela não poderemos dar continuidade ao processo de admissão. Favor trazer seus documentos o mais rápido possível à Sede da Empresa Multinacional.

> **De:** Empresa Multinacional
> **Para:** Rafa Brites
> **Assunto:** Processo admissional
>
> Rafaella, boa tarde!
> Tentei entrar em contato com você essa manhã, mas o celular cadastrado está desligado. Peço que, por gentileza, entre em contato com o RH o quanto antes.

> **De:** Rafa Brites
> **Para:** Empresa Multinacional
> **Assunto:** Desistência
>
> Cara Empresa Multinacional,
> Agradeço pela oportunidade que me foi dada. Porém, nos próximos dias, estarei de mudança para os Estados Unidos.
> Atenciosamente,
> Rafaella

Eu DESISTI da vaga.

Fui vencida pela insegurança. Pelo medo. Pela sensação de que eu não merecia.

Minha família, que sempre acreditou em mim, não entendeu nada quando falei que aquilo não era bem o que eu queria e que, por isso, eu iria desistir.

"Como assim não quer mais, filha? Poxa, você estava tão animada!"

Mas, como sempre, respeitaram minhas escolhas e me apoiaram.

O rapaz que havia feito a primeira entrevista me telefonou e me convidou para um café. Ele parecia não acreditar na história de que eu iria mudar de país. Repetia sem parar:

"Você tem muito potencial! A sua redação foi ótima. Seu inglês é perfeito!".

Mas nada, NADA do que ouvi FORA surtiu efeito DENTRO.

Impostora! É isso que você é, Rafaella Brites. Uma Impostora.

IMPOSTORA REINCIDENTE

Nos dez anos que se seguiram, convivi com o mesmo sentimento em diversas ocasiões. Em entrevistas de emprego. Reuniões de trabalho. Visitas a clientes. Entregas de projetos.

Não que eu não tivesse amor-próprio. Mas, para mim, sempre estive na média.

E quando virei apresentadora, então? Uma coisa era enganar o pessoal da empresa, um chefe ou outro, fazendo de conta que eu tinha "mais capacidade" do que realmente possuía. Outra coisa era blefar na televisão.

Meu Deus, Impostora Nacional.

Milhões de pessoas assistindo. Em algum momento, alguém descobriria que eu era uma farsa.

A única conta que não fechava era que, apesar de eu estar nessa vida havia anos, minha máscara ainda não tinha caído.

Que tipo de sorte é essa?

E mais: como é possível existir tanta gente educada no mundo, me dizendo aqui e acolá que eu sou boa no que faço?

Uma dessas pessoas educadas foi uma diretora chamada Inês. Trabalhei com ela entre 2016 e 2017. Ela olhava no fundo dos meus olhos e falava:

"Arruma essa postura!"

"Por que você fica se encolhendo? Tá se escondendo do quê?"

"Fala firme!"

"Acredita em você!"

"Abre esse plexo solar e imagina que tem um sol aí dentro."

Numa dessas, ela soltou uma frase muito marcante: "Rafa, por não acreditar em si mesma, você não divide com os outros o que tem de melhor. Isso não deixa de ser uma espécie de avareza. Você tá privando o mundo das suas qualidades. Você pode melhorar a vida de muita gente com o que sabe fazer. Mas essas pessoas jamais vão ter acesso a isso se você trancar essas habilidades por achar que não é boa o suficiente".

Pufff! (Cabeça explodindo.)

A minha autossabotagem acabava sendo um grande egoísmo!

Então, resolvi ir a fundo e tentar combater esse sentimento de Impostora que me impedia de ser a melhor versão de mim mesma.

CENAS DA MENTE DE UMA IMPOSTORA #1

Da série "Jura, você também?"

> *Por que aceitei fazer essa apresentação? A qualquer momento vão descobrir que não sei nada. E se me perguntarem alguma coisa que eu realmente não sei? E se eu engasgar? E se tiver batom no meu dente? Ai, me esqueci de escovar os dentes!*

> *Eu sou gorda demais para entrar numa academia.*

> *Não vão me aprovar para o mestrado. Pra que ir até lá e passar vergonha? Fora que é horrível estacionar naquele bairro. Só tem vagas apertadas. E nem adianta tentar, também não vou conseguir fazer baliza.*

> *Tenho certeza de que me chamaram porque dizem que sou bonita. Mas eu nem sou bonita. É a maquiagem. Ou o perfume.*

HORA DO SHOW

Querida leitora, faz o seguinte: imagine-se nesta cena.

As portas do teatro se abrem.

Da coxia, você pode ouvir as vozes de centenas de pessoas que chegam para o espetáculo, o SEU espetáculo!

Nesta grande noite de festa, você vai mostrar o que sabe fazer de melhor.

O que você mais domina na vida.

Aquilo que está misturado com a sua personalidade, que faz parte da sua essência.

Além das vozes, você percebe a fragrância dos perfumes cuidadosamente escolhidos por cada um. O aroma da expectativa.

Sim, ela tem cheiro.

Algumas pessoas exalam um aroma doce, certas de que serão surpreendidas de forma positiva. Chegam dispostas a gostar daquilo que irão ver. Outras exalam um aroma cítrico. Estão lá para testar: "Surpreenda-me se for capaz". Apostaram 50/50. Mas há os que fedem a enxofre. Vieram apenas para comprovar suas previsões de fracasso e insucesso. O sorriso irônico já está engatilhado. Só aguardam o momento certo para usá-lo, acompanhado da frase: "Eu sabia que seria ruim".

Da beirinha do palco, você avista rostos conhecidos: pessoas que ama, que admira, amigos, família. Misturados a eles, estão desconhecidos, pessoas que você nunca tinha visto.

Aos poucos, todos tomam seus lugares. Lotação máxima. A plateia se aquieta, as luzes se apagam, o silêncio toma conta.

É a sua hora.

Você está atrás das pesadas cortinas de veludo vermelho. Posicionada ao centro do palco. O único foco de luz paira sobre você.

O espetáculo vai começar.

SÍNDROME DA IMPOSTORA

...
Feche os olhos. O que passa pela sua cabeça? Que frases você diz a si mesma?

Escreva aqui o que você pensou.

_____

Toca o sinal, as cortinas se abrem.

Talvez, só de imaginar tudo isso, você tenha ficado nervosa, com as mãos suando, taquicardia, dor de barriga, pernas frouxas e uma vontade danada de fugir. De desaparecer. De se desintegrar.

Não sei exatamente o que você escreveu, mas tenho certeza de que NÃO foram coisas como:

EU SOU INCRÍVEL!
EU SOU F*!
ARRASEI!
EU SOU O MÁXIMO!

"Rafa, como você sabe?"

Falando aqui, de Impostora para Impostora: as primeiras frases que me vêm à mente nunca são essas. Minhas frases são mais do tipo:

O QUE EU TÔ FAZENDO AQUI?
VAI DAR TUDO ERRADO.
VÃO RIR DE MIM!
EU NÃO SOU TÃO BOA ASSIM.

Você se identificou?

A SOCIEDADE SECRETA DAS IMPOSTORAS ANÔNIMAS

Neste momento, você deve estar meio chocada, pensando: *Achei que isso só acontecia comigo.*

Eu me senti assim durante anos. Como uma ilha. Via tantas mulheres tão seguras de si. Imaginava: *Que maravilha ter a segurança de uma escritora famosa, com mais de dez livros publicados. Que delícia devia ser quando a Maya Angelou acabava um livro, já sabendo que era uma autora consagrada. Sem esse medo extremo do julgamento.*

Então fui pesquisar como a Maya Angelou se sentia ao término de cada obra:

> "Escrevi onze livros. Mas, cada vez que lançava um, pensava: *Agora eles vão descobrir a minha farsa.*"
> (Maya Angelou)[1]

Hum... Talvez ela tivesse questões de autoestima.

Quem sabe, então, a Michelle Obama. Sim. Tá aí uma mulher forte, inabalável... Queria ser como ela. Vamos nos inspirar nela, então. Senhoras e senhores, com a palavra, a ex-primeira-dama dos Estados Unidos, Michelle Obama:

> "Eu tive de trabalhar duro para superar aquela pergunta que (ainda) faço a mim mesma: *Eu sou boa o suficiente?* É uma pergunta que tem me perseguido por grande parte da minha vida."
> (Michelle Obama)[2]

Ops, não tão segura quanto eu esperava...

Deixa eu pensar em alguém que já está em evidência há um tempo... Já sei. Kate Winslet. É uma boa atriz: um Oscar, um Emmy, um Grammy, três BAFTAs (British Academy Film Awards) e quatro Globos de Ouro... Que currículo! Aliás, enquanto recebia seu terceiro BAFTA, ela contou que, aos 14 anos, seu professor de teatro disse que ela só se daria bem nas artes cênicas se ficasse contente em fazer apenas papéis de "menina gorda"[3] – ou seja, nada de Rose nos braços de Jack em *Titanic*.

Tipo, toma essa, professor.

Como ela pode nos inspirar a sermos autoconfiantes?

"Às vezes, desperto pela manhã, antes de ir para uma filmagem, e acho que não vou conseguir, que sou uma fraude."
(Kate Winslet)[4]

Eita. Se os trocentos prêmios que ela ganhou não são suficientes, o que seria?

Mas deve ser excesso de rigor da parte dela... Os britânicos parecem ser meio exigentes mesmo.

Vamos pensar em alguém que tenha mais a ver com a nossa cultura. Tipo, Jennifer Lopez, deusa latina da música pop. Essa é uma mulher destemida, empoderada. Quem sabe ela pode nos contar o segredo de tanta segurança?

"Apesar de eu ter vendido 70 milhões de discos, sinto que não sou boa no que faço."
(Jennifer Lopez)[5]

Ok, ok. Parece que esse pessoal artista tem padrões elevados demais. Deixa eu ver outro tipo de mulher poderosa, nada de escritora nem de primeira-dama nem de artista. Uma executiva, quem sabe?

Pensei na Sheryl Sandberg, diretora de operações do Facebook. Foi a primeira mulher a ser indicada para ocupar o conselho administrativo da empresa. Sem dúvida, um bom exemplo para a gente. Ela diz:

> "Sempre que a professora me chamava na aula, eu tinha certeza de que iria passar vergonha. Sempre que fazia uma prova, eu tinha certeza de que iria mal. E quando eu não passava vergonha – ou até quando eu me superava –, eu acreditava que havia enganado todo mundo mais uma vez."
> (Sheryl Sandberg)[6]

DESISTO.

Como assim, essas mulheres poderosas se sentem da mesma forma que eu me sentia lá no meu estágio?

Olha o currículo, a fama, o dinheiro, a beleza, a genialidade dessas mulheres. Como podem se sentir assim, no patamar em que estão? Será que estão apenas sendo modestas?

Acho que não. A primeira descoberta me trouxe outra, e mais outra... Fui encontrando, na boca dessas mulheres, frases que eu dizia a mim mesma:

> "Penso que, em algum momento, descobrirão que sou uma fraude. Não é possível que eu seja tão boa quanto os outros imaginam."
> (Emma Watson, atriz, modelo e ativista)[7]

"Continuo achando que as pessoas vão descobrir que eu não sou muito talentosa. Que não sou boa de verdade. Que é tudo uma farsa."
(Michelle Pfeiffer, atriz e produtora)[8]

"Ainda há dias em que algo aparece em minha mesa e sinto que não sei nada sobre o assunto. Isso é o que mais me assusta."
(Gwyneth Paltrow, atriz e empresária)[9]

"Você pensa: *Por que alguém iria querer me ver de novo em um filme? E se eu não sei atuar mesmo, por que estou fazendo isso?*"
(Meryl Streep, atriz)[10]

Talvez você esteja se perguntando por que só escolhi depoimentos de mulheres estrangeiras. Fiz isso para mostrar que o sentimento de incapacidade, de não ser boa o suficiente, não está relacionado apenas à cultura local. Ele é bem universal. E confesso que, ao ler tais depoimentos, aos poucos, fui experimentando um alívio. Fui me sentindo acolhida, como se estivesse na reunião de um grupo de apoio secreto. Eu me imaginei em um salão enorme, onde mulheres de todos os cantos do planeta chegam, tiram seus disfarces e se despem das máscaras que parecem carregar.

Enquanto isso, confessam:

"EU TAMBÉM ME SINTO UMA IMPOSTORA!"

Sim, amiga leitora. Você, que está com este livro na mão e que se encontrou em cada depoimento: tudo o que você sentiu até hoje não é exclusividade sua.

Você não está sozinha.

Bem-vinda à
SOCIEDADE SECRETA DAS IMPOSTORAS
ANÔNIMAS (SSIA)!

AQUI, PEGA UM CABIDE

Até aqui parece tudo muito engraçado (talvez você, como eu, use o humor para camuflar sua insegurança). Mas não tem graça nenhuma quando você se vê trancada no banheiro da sua casa, no banheiro do escritório, num banheiro público, com vontade de chorar por...

... não se achar competente.
... ficar irritada quando todos mentem, afirmando o contrário.
... nenhum cabelo, roupa, maquiagem deixar você menos feia.
... ter de engolir mais um sapo, porque não vai conseguir coisa melhor.
... acreditar que todo mundo ali fora é melhor que você.
... se achar facilmente substituível.
... achar que chegou até aqui por pura sorte.

E depois de chorar, você seca o rosto, retoca a maquiagem borrada, olha no espelho e diz: "Se você já fingiu até aqui, também consegue fazer de conta que está tudo bem".

Então você veste uma máscara de sorriso e sai. Confiante? Nem um pouco. Determinada? Só a sobreviver mais um dia. Sua arma é o riso, que você aponta contra si mesma: ri de suas limitações, faz piada de seus medos. Melhor rir do que chorar, não é mesmo?

Tira a máscara, pendura o disfarce. Aqui é um espaço sagrado, onde só entra a verdade.

Se você não sabe qual é a verdade, entre nua. Vulnerável. Exposta. É assim que estamos todas nós, Impostoras convictas, porém anônimas. Sem expectativas. Mas cheias de esperança.

Estamos aguardando.

MINHA CAPACIDADE INTELECTUAL

Uma das minhas grandes inseguranças como Impostora é sentir que eu deveria escrever de um jeito mais rebuscado. Algo que impressionasse as pessoas que me impressionam, sabe? Por isso, resolvi acabar com esse problema logo de cara, e apresentar todo meu potencial que não será aproveitado neste livro. Aí vai...

Segundo Nietzsche, inexoravelmente, nós, seres humanos, oriundos de profícuos ventres maternos, em nossa insignificante e fugaz existência, buscamos sentido na subjetividade alheia, a despeito das densas intempéries essenciais à psique humana.

Não obstante, vivemos insustentavelmente no encalço do bom êxito das lides cotidianas, influenciados pela célere marcha de nossa efêmera subsistência.

Isso se atesta pela perspícua eloquência do eruditismo grego, perpendicularmente influenciado pela Escola Formalista de Frankfurt.

Conjecturo que tu, ó venerável leitora, não contavas com minha astúcia de escrever de modo tão complicado!

Com singelas palavras, abstenho-me de quaisquer culpas e objeções que quiçá me sejam atribuídas por não lhe oferecer um livro de vocábulo deveras rebuscado.

Grata,
Rafaella

A SAÍDA É PARA DENTRO

A conclusão a que cheguei, ao ver tantas mulheres se subestimando como eu, é que esse sentimento é reflexo de toda uma construção histórica patriarcal. São fatores externos que se refletem, de maneira brusca, em nosso interior.

Neste livro, vou falar sobre como enfrentar os fantasmas internos. Mas, além disso, mostrarei como é preciso que nós estejamos prontas e unidas para combater a origem desses fantasmas, uma origem mais abrangente e estrutural, causada por preconceitos em relação a gênero, raça, classe etc.

Quero salientar que escrevo a partir do meu contexto, da minha realidade pessoal. Seria alienação ou negligência minha assumir que todas nós, Impostoras Anônimas, compartilhamos uma mesma história. Porém, por onde quer que você comece, no que diz respeito a lidar com questões internas, pode ter certeza de uma coisa: enquanto procurarmos aprovação externa, NUNCA SEREMOS BOAS O SUFICIENTE.

Os elogios, os diplomas, os cargos nunca suprirão a carência interna.

Assim, é falsa a sensação de que, quando chegarmos a um determinado patamar, o milagre da segurança tomará conta de nós.

Falo com propriedade por me entender como uma mulher que alcançou muitas das metas que a sociedade coloca como ingredientes da receita da felicidade: dinheiro, fama, família margarina... Tenho conquistas que, para quem vê de fora, seriam mais que definitivas para eu não questionar meu próprio valor. Mas digo: para mim, essas conquistas só trouxeram mais pressão. E pior: quanto mais eu conquistava, quanto melhor me saía, mais eu me sentia exposta, mais perto eu pensava estar do momento de ser descoberta como Impostora.

Olhando, então, para a minha história e para a de tantas mulheres, percebi que, a cada passo que damos, em vez de alimentar a autoestima, a sensação é de estarmos mais vulneráveis. O medo fica maior.

Como temos combatido esse medo até aqui? Com autossabotagem, autoboicote, procrastinação, autodepreciação... Desculpe a franqueza: combatemos o medo com covardia.

Mas isso muda quando entendemos que a SAÍDA É PARA DENTRO!

Enquanto não mergulharmos no nosso interior e formos em busca das raízes que nos levam a ter esses sentimentos, não teremos forças para combater a Impostora que existe em nós.

É isto que convido você a fazer neste livro: entender a Síndrome da Impostora, ficar atenta, dominá-la e ser feliz!

O QUE ACONTECE POR TRÁS DA MÁSCARA

O FENÔMENO

Por que todo mundo está sempre tão confiante, tão seguro, tão *de boas* com o que conseguiu e com o que não conseguiu, mas eu estou sempre com medo?

NUNCA SOU SUFICIENTE!
NUNCA VOU CONSEGUIR!
NÃO POSSO ERRAR!

Será que eu sou a única?
Fui pesquisar. Quem sabe alguém que se sente da mesma forma já tenha encontrado uma saída e possa me ajudar?
Minhas pesquisas me levaram até Pauline Clance e Suzanne Imes, psicoterapeutas e professoras na Universidade da Geórgia, lá nos *States*. Elas contaram que, por cinco anos, interagiram com mais de 150 mulheres megabem-sucedidas, doutoras acadêmicas, profissionais de respeito e alunas brilhantes, e que encontraram essas mulheres em consultas particulares, grupos de trabalho e salas de aula.[11]
Porém, um sentimento unificava todas: "Eu não merecia estar aqui".
Elas não se achavam inteligentes, capazes de verdade. Acreditavam que ocupavam posições de destaque por algum engano (do cosmos ou delas mesmas).
Em 1978, Pauline e Suzanne escreveram um artigo sobre esse sentimento, que chamaram de "O fenômeno do impostor".
"Cara, muito melhor que o título do meu livro..."
"Shhh, Impostora! Você não vai me atrapalhar desta vez! Volta lá pro seu canto!"
"Mas é que 'fenômeno' soa tão melhor que 'síndrome'..."
"BLÁ, BLÁ, BLÁ! Não estou ouvindo nada! Lá, lá, lá, láá..."
Cof, cof, desculpe a discussão interna.

Onde eu tinha parado?

Ah, é mesmo, Pauline e Suzanne.

Então, elas continuaram estudando o fenômeno do impostor e, anos depois, publicaram um livro sobre o assunto.

Desde então, um monte de gente tem estudado essa síndrome. Ela é considerada um problema universal (ou seja, não restrito a idade, gênero, raça, profissão, classe social etc.). Porém, parece que ela é mais forte ou comum entre pessoas de grupos sociais com baixa representatividade ou em situação de desvantagem.[12]

A Síndrome da Impostora não pode ser detectada num exame clínico ou psicológico. Ela não é uma doença ou uma anormalidade. É mais um sentimento, uma experiência que a gente vivencia em situações específicas.

Todo mundo sente medo, ansiedade ou dúvida de vez em quando. A diferença da Síndrome da Impostora é que ela causa um ciclo constante de vergonha e embaraço, paralisando a pessoa e a levando a duvidar de si o tempo todo: *Será que mereço isso? Será que consigo aquilo? Será que dou conta?*

E como lidar com ela?

Vamos falar mais sobre isso na próxima parte do livro. Mas, por enquanto, saiba que o importante – na verdade, a coisa MAIS importante – é admitir que isso é um problema.

A segunda coisa mais importante é se informar.

E a terceira é conversar sobre isso (ou escrever um livro!). Você vai ficar impressionada quando perceber como esse sentimento é comum. Aliás, essa é a ideia da SSIA: se solidarizar com gente que tem as mesmas dúvidas que nós. Compartilhar descobertas, criar empatia. Assim, ajudamos umas às outras a domar esse fantasma interno.

É importante entender que o impacto é interno, mas as origens são externas. Vejo muito por aí pessoas culpabilizando a vítima, como se fosse uma escolha se sentir assim.

VOCÊ FAZ PARTE DO CLUBE?[13]

Será que eu tenho?
Será que não tenho?

Apesar de não haver um exame, dá para saber se dentro de você tem uma Impostora.

Repara nas situações abaixo. Elas mostram os comportamentos e pensamentos mais comuns das Impostoras. Você se identifica com alguns (ou com todos)?

Talvez você pense que as frases abaixo são fortes demais. Talvez você não se sinta assim, tão Impostora. Para este livro, optei por mencionar situações extremas. Mas elas não são a regra. A Impostora pode estar ali, camuflada, no seu dia a dia, entre uma risada e outra, uma conquista e outra. Ou até nos dias em que você acorda se sentindo maravilhosa. Essa voz interna aparece na surdina.

1. Você foca a única coisa que não está perfeita em vez de olhar para as 1.001 que deram certo

A Impostora dá conta dos cinco filhos pequenos numa boa, mas se martiriza porque deixou a violeta morrer na janela do banheiro. Ela escolhe prestar atenção naquilo que é negativo (talvez nem seja!) em vez de focar o que é positivo.

2. Você acha que até um macaco faria o que você fez

A Impostora acha que as coisas que ela faz são muuuito simples. Que qualquer um poderia fazer. Por isso, não merece elogios, admiração, recompensa nem reconhecimento.

3. Você pensa que algo só tem valor se for difícil

A Impostora acha que não merece o amor, o carinho, a simpatia, a amizade das pessoas se ela não tiver suado a camisa para conquistar essas coisas. *Ninguém iria gostar de mim de graça.* Muitas vezes, é assim que ela pensa.

4. Você nunca faz o suficiente

A Impostora tem expectativas irreais. Ela vive se comparando com outras pessoas que não têm nada a ver com ela. Ou estabelece padrões que nem Deus conseguiria satisfazer. Aí ela pensa que, enquanto não alcançar isso ou aquilo, não terá feito o suficiente.

5. Você valoriza a sensação de Impostora

A Impostora acredita que não pode relaxar e que, ao deixar de se ver como Impostora, ela será "desmascarada". Por outro lado, acha que, ao se enxergar o tempo todo como uma fraude ou um fracasso, não vai doer tanto quando ela "descobrir que isso é verdade".

6. Você está ocupada demais sentindo coisas

A Impostora se concentra tanto em seus pensamentos e sentimentos negativos que não tem tempo nem energia para executar coisas. Ao imaginar que vai dar tudo errado, que não vai conseguir, que não vai dar certo, ela acaba nem tentando.

7. Você só aplaude os outros

Por fim, a Impostora consegue apreciar a jornada dos outros, ver o crescimento e as conquistas deles. Consegue ver também quando alguém tem um baita impacto positivo sobre os outros. Desde que esse "alguém" não seja ela. Quando o assunto é a própria Impostora, ela fica míope.

MAS, CALMA AÍ, ISSO NÃO ACONTECE COM OS HOMENS?

Que sorte ser homem e não sofrer nada disso.
 Não é bem assim. Tá, pelo menos um pouco. Os homens se sentem impostores, mas proporcionalmente em menor número e/ou grau que nós, mulheres.
 Após muitas conversas com meu marido, amigos homens e colegas de trabalho, fui percebendo claras diferenças entre nós e eles.

HOMENS	MULHERES
Se acham f* (de foda).	Se acham f* (de farsa, fraude).
Acreditam que o sucesso depende de **fatores externos**.	Acreditam que sucesso é uma **questão interna**.
Acham que **já têm tudo** que é necessário para o sucesso.	. Acham que **não têm nada** do que precisam para terem sucesso.
Quando têm êxito, acreditam que **fizeram por merecer**.	Quando têm êxito, acham que houve algum engano, porque **não mereciam**.
Se não têm êxito, pensam que suas habilidades ainda não foram descobertas (**falta de percepção externa**).	Se não têm êxito, acreditam que não são capazes ou esforçadas **o suficiente**.

Claro que não é a regra para todos os homens.

As pesquisas indicam que há homens que se sentem impostores. Mas a maioria dos casos masculinos ocorre entre homens que sofrem opressão racial e social. Por exemplo: um homem negro bem-sucedido em um ambiente majoritariamente branco, ou alguém de uma classe social menos favorecida que consegue prestígio em um ambiente dominado por pessoas de classes sociais privilegiadas.

Mas o que dá para ver nas pesquisas (e fora delas, é só sair perguntando) é que as mulheres, sem dúvida, sofrem mais da Síndrome da Impostora que os homens.

LinkedIn publica relatório sobre o impacto do gênero na busca por emprego

Para cada **100** homens que se candidatam após terem visto uma vaga, apenas **86** mulheres fazem o mesmo.

68% dos homens pedem referências para ex-colegas de trabalho, enquanto somente **32%** das mulheres aceitariam fazer isso.

Gender Insights Report: how women find jobs differently. LINKEDIN. Disponível em: <https://business.linkedin.com/talent-solutions/resources/talent-strategy/gender-balance-report>. Acesso em: 09/09/2020.

Por que mulheres só se candidatam quando preenchem 100% dos requerimentos?

Segundo pesquisa publicada na Harvard Business Review, **22%** das mulheres não se candidatam a uma vaga de trabalho por medo de falharem. Apenas **13%** dos homens entrevistados têm esse medo.

Síndrome do impostor: por que tantas mulheres de sucesso se sentem uma fraude? PORTAL GELÉDES. Disponível em: <https://www.geledes.org.br/sindrome-do-impostor-por-que-tantas-mulheres-de-sucesso-se-sentem-uma-fraude/> Acesso em: 09/09/2020.

EMPACAR

A Impostora não dá as caras o tempo todo.
Não é sempre que estou de máscara.
Brinco com meu filho sem máscara.
Converso com minhas irmãs sem máscara.
Quando estou em um ambiente onde me sinto amada e segura, fico 100% em paz.

Imagino que você também tenha vários momentos assim, sem máscara.

Geralmente, quando estamos à vontade, simplesmente existindo, como se fôssemos as únicas pessoas do planeta (ou como se no planeta vivessem apenas as pessoas que a gente ama), a Impostora vai pro espaço.
Mas aí acontece alguma coisa e...
eu...

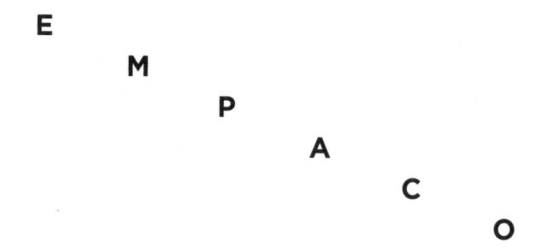

```
    E
        M
            P
                A
                    C
                        O
```

Adiós, Rafa Brites!
Hasta la vista, autoconfiança!
A Impostora borbulha aqui dentro e toma conta de tudo.

Depois dos estudos que fiz para entender melhor o que eu tinha, comecei a analisar o que a síndrome representava para mim. O primeiro passo foi identificar as situações que provocavam essa autopercepção de não pertencimento e as sensações de fraude – o famoso "Não mereço estar aqui!".

Mapeei o empacamento.

Vi, aliás, que a palavra EMPACAR descrevia muito bem o que eu sentia! Em vários níveis. Ela abrangia vários cenários. É bem possível que você e eu tenhamos alguns desses gatilhos em comum.

Evidência

Machismo

Poder

Avaliação

Confronto

Ascensão

Reconhecimento

Evidência

Em 2013, fizeram uma festa surpresa de aniversário para mim. Moro em casa de rua, sabe como é... Já fico meio tensa quando vou abrir o portão. Naquele dia, quando cheguei, a tensão se multiplicou, porque percebi que estava tudo escuro, e eu sempre deixo as luzes acesas (sempre ouvi a pergunta: "Você é sócia da companhia de energia elétrica?").
Entrei em casa com cuidado, tremendo nas bases. Até que... BUUUUMMMMMMMMMMM! (um megaestouro) Estrelinhas e confetes voaram.

(Atenção para a pausa dramática.)

Eu fiz xixi na calça.
(Favor manter essa informação dentro da SSIA.)

Na maior festa que tive depois da infância, recepcionei os convidados com uma poça de xixi.
Eu não gosto de festa de aniversário, mas não é por isso. É porque morro de vergonha. Tenho a sensação de estar incomodando as pessoas. Eu costumo ir ao aniversário de todo mundo e sinto que fazer uma festa é quase uma cobrança. Vai que chove. Que tem muito trânsito.
O lance é que detesto ser o centro das atenções. Receber presentes e votos de felicidade. Ouvir as pessoas cantarem "Parabéns pra você" (e o que eu faço nessa hora? Canto junto? Fico sorrindo? Bato palmas?). Adoro quando tem uma criança perto, pois puxo ela para apagar as velas e tirar o foco de mim.
Sim, estar em evidência é uma situação de extrema vulnerabilidade. Quando estamos em evidência, como numa reunião de empresa, começamos a achar que, a qualquer momento,

alguém fará uma pergunta que não saberemos responder, e isso colocará toda nossa credibilidade em cheque.

A sensação de superexposição se multiplica na internet. Tenho uma amiga, a Tati, que certa vez gravou um vídeo sobre finanças para mulheres. Quando foi ver o resultado, ela se achou feia. Engavetou o projeto. Um dia, um ano e meio depois, desencanou, resolveu fazer o post. E o vídeo fez o maior sucesso. Ela ajudou milhares de mulheres a terem independência financeira a partir daquele dia.

Eu pergunto: nesse um ano e meio em que ela não se expôs, quantas outras mulheres ela poderia ter ajudado?

Por medo da evidência, podemos nos tornar muito egoístas. Para ajudar pessoas e mudar situações, temos que nos expor. Dar as caras e falar para quem quiser ouvir. Sei que muuuitas mulheres fazem um, dois ou três vídeos e se acham péssimas. Usam frases como "Quem sou eu para fazer isso?" e desistem. Resultado: continua tudo como está. Ou até piora.

Machismo

Em 2009, trabalhei como produtora num set de filmagem de publicidade. Minha função ia desde arrumar o buffet onde as pessoas se serviam durante a filmagem até receber o elenco. É uma atividade que requer muita atenção, principalmente com horários, porque o set é alugado e o pessoal envolvido cobra por hora de trabalho.

Apesar disso, às vezes a filmagem atrasava. Nem sempre era um problema enorme, mas era tenso quando havia celebridades envolvidas na gravação.

As pessoas morrem de medo das celebridades, com seus caprichos e manias. Nunca se sabe se elas vão surtar quando ouvirem a notícia de que, infelizmente, a gravação vai atrasar. Dar essa notícia era tipo jogar roleta-russa, e cabia a mim dar a tal notícia quando se tratava de um homem.

Porque eu era a estagiária, porque eu era diplomática, porque tinha tato, porque era minha função?

Não. Era porque eu tinha seios.

"Vai lá, Rafinha, ele não vai ficar bravo com você", era o que meus superiores diziam.

E não só com celebridades. Eu era responsável por dar toda e qualquer notícia para os homens envolvidos no processo.

Eu me sentia como uma carniça jogada para acalmar o leão. E isso me fazia duvidar da razão de eu estar ali, da minha capacidade e de tudo o mais que a Impostora fica fazendo a gente relembrar.

Para alguns, essa incumbência pode parecer um elogio. Mas, no fim das contas, isso afeta demais nossa confiança em nossas próprias competências. Acho que essa palavra nem existe, mas a real é que nos "descredibiliza".

Ambientes machistas são sempre muito propícios para acordar a Impostora. Temos que provar o tempo todo que somos competentes e que não estamos ali só para enfeitar a reunião da empresa (sim, já ouvi isso também).

O fato é que estamos tão calejadas que já damos um sorriso amarelo. Ou pior: gargalhamos mesmo e reproduzimos para outras mulheres as frases que minimizam a força que temos. Pensa comigo: quando uma mulher recebe uma promoção ou é contratada por um chefe homem (porque a maioria dos chefes continua a ser do sexo masculino), até hoje olham para ela e pensam: *Essa aí passou no teste do sofá*. Por outro lado, homem nenhum tem sua capacidade questionada quando cresce profissionalmente.

O machismo estrutural, para mim, é uma das ameaças mais tóxicas para a nossa autoconfiança.

Poder

Cargos de destaque, de síndica de prédio a CEO de multinacional, podem parecer um posto extremamente cobiçado. Mas mulheres que duvidam da própria capacidade pensam duas (ou três, ou quatro, ou 973) vezes antes de aceitar o posto.

Um monte de dúvida começa a surgir: *Vou dar conta? E se eu tomar a decisão errada? E se eu for questionada? E se eu desagradar alguém?*

Confesso que ainda não sei lidar com posições de poder, a ponto de ter de contratar ou me associar a pessoas que possam desempenhar a função.

Para as mães, ainda existe um agravante: ao assumir as muitas responsabilidades que o poder traz, passamos menos tempo cuidando dos filhos. E somos julgadas por isso.

Acredito que situações de poder são especialmente desafiadoras para quem tem a Síndrome da Impostora, porque a liderança feminina na atual sociedade capitalista é algo que ainda está engatinhando. Por isso, sinto que ainda tentamos reproduzir o modelo de poder tradicionalmente associado aos homens. Agressivo. Frio. Implacável. Deixar a emoção ou a sensibilidade bater? Nem pensar. Isso é fraqueza. Uma líder não pode ser serena, delicada nem falar baixo – características consideradas de "mulherzinha".

Nossa, nem os anjinhos escapam... São todos meninos. Queria tanto uma anjinha Rafaella.

Achamos que liderar é incorporar uma personagem enérgica, mesmo que esse não seja nosso estilo. Fazemos de conta que somos assim. Aí, como resultado, o que acontece? A gente perde nossa identidade e se torna uma fraude de verdade. Nesse meio-tempo, a gente fica superestressada e se pergunta se era a pessoa certa para o cargo.

Ao alcançar um posto de liderança e ficar pensando demais na situação, damos espaço para a Impostora, que começa a divagar e questionar as habilidades que nos colocaram lá. A gente passa a pensar que, se falharmos, o mundo inteiro vai nos descobrir. Vão começar a dizer pelos corredores: "Tá vendo? Não falei? Ela não é líder coisíssima nenhuma. Foi tudo sorte". Só de pensar nisso, a insegurança e a ansiedade crescem. Ao primeiro questionamento, travamos e concluímos: "Não nasci para isso". Porque, na nossa cabeça, o líder é inquestionável. Mas a gente nem pensa em quantas vezes nós mesmas já questionamos nossa mãe, nosso pai, a professora na escola, o professor na faculdade, a chefe, o presidente da República...

Avaliação

Ta aí uma ocasião perfeita para entrarmos em crise existencial: durante uma avaliação. Provas, testes, concurso público, entrevista de emprego, eletrocardiograma (e se meu coração não estiver batendo bem o suficiente?). Temos muito, muito medo de falhar.

Eu me protegia disso estudando mais que todo mundo (acho que ainda faço isso). Lembro que, depois de todas as provas que fazia, eu tinha certeza de que tinha ido mal. O dia de receber as provas corrigidas era o pior. Quando a professora me chamava, eu ia até a mesa dela de olhos quase fechados porque não queria ver minha nota. Coração acelerado. Mãos suando. Quando eu abria os olhos e via 9,8, pensava: *Ufa, que sorte*.

Na época do vestibular, eu quis entrar numa determinada faculdade de Administração. Eu fazia o ensino médio de manhã e encontrei um grupo especial de estudos que se reunia à tarde. Ele preparava candidatos para o ITA (Instituto Tecnológico de Aeronáutica) e para a USP (Faculdade de Direito, no Largo São

Francisco). Passávamos a tarde inteira resolvendo exercícios quase impossíveis de Química e Física que nunca iriam cair nas provas que *eu* iria fazer. Mas, você sabe: eu sentia que, se não estivesse preparada o bastante, talvez eu não fosse aprovada.

A gente pensa que é bobagem de criança e que, quando crescermos, isso passa. Mas continua a mesma coisa na entrevista de emprego, na avaliação do trabalho, no concurso público. Não sei se você já chegou para alguma entrevista de trabalho ou um teste de elenco, viu os concorrentes e pensou: *É melhor ir embora porque não tenho nem chance.* Se pá, você até levantou e foi embora mesmo!

A avaliação revela também outro tipo de defesa muito comum para a Impostora: o famoso "Eu nem queria mesmo". Ela não quer falhar. Então, ao se ver em uma situação de possível rejeição, ela já se desculpa dizendo que não era aquilo que ela queria. Mas não é verdade. A Impostora usa o subterfúgio da procrastinação, falta de tempo, preguiça e falta de vontade, entre outros, para não ter que enfrentar o fracasso. E vamos distribuindo essa desculpa para nós mesmas e para os outros antes de a avaliação chegar. A pessoa já acha que vai falhar, então pensa: *Por que me dar ao trabalho de me esforçar? Mesmo se eu estudar, não vou passar. Melhor nem perder tempo. Afinal de contas, todos são melhores que eu.* E aí ela empaca.

Confronto

Na época em que eu trabalhava como repórter na TV, a experiência já me permitia perceber quando algumas coisas não dariam certo. Muitas pessoas que pensam na pauta e na programação não vivem na pele o dia a dia do repórter de rua. Não tem problema; cada um é especialista no que faz. O que deveria acontecer era uma troca de ideias e informações – que a Impostora em mim, muitas vezes, prefere evitar.

Teve um dia, por exemplo, em que alguém da pauta teve a grande ideia de perguntar nas ruas de São Paulo quem já tinha traído o parceiro. Quem ia fazer a pesquisa? Eu, claro. Tipo, dentro de mim, eu tinha certeza de que, a cada dez pessoas que eu parasse para entrevistar, onze fugiriam. Porém, em vez de conversar com o pessoal da pauta e explicar que a pesquisa poderia dar errado, preferi seguir adiante, gastar um tempão na rua e ter a equipe de filmagem como prova de que tentamos e não deu certo.

Foi um transtorno enorme... só para evitar o (possível) confronto.

A Impostora acha que toda troca de ideias vai virar um campo de guerra. E ela teme isso. Não se sente à vontade para confrontar porque quando indaga ou confronta a ideia ou o posicionamento de alguém, ela sabe que está suscetível a ser confrontada também. E, se isso acontecer, é batata: vai ser "desmascarada". Vão descobrir que ela não tem tantos recursos assim para defender seu ponto de vista... Então, o melhor a fazer é ficar em silêncio.

Falando de mim, um momento em que me sentia a maior Impostora do mundo era quando eu tinha que expor minhas ideias, fazer críticas ou confrontar o pensamento de alguém. Como se, para isso, eu precisasse estar munida de um arsenal de argumentos inquestionáveis. E, mesmo assim, eu tinha medo da réplica.

A sensação da Impostora num debate é de que sua máscara está meio solta. Se o outro se sentir ofendido, ele dá um puxão e, pronto, o mundo descobrirá quem você é de verdade. Dizer que você não entende do assunto, que é uma farsa, que está iludida... E caso você se altere um pouco (#quemnunca, no meio de uma discussão?), ainda tem que ouvir que "está de TPM"...

Oi? Meu ciclo menstrual entrou no meio desse debate por que mesmo?

A gente se ofende com essas coisas, e acaba concordando que é tudo verdade. Nunca paramos para pensar que, talvez, quem sabe (risos), você entenda um pouco mais sobre o assunto do que aquela pessoa, e que a verdadeira Impostora aqui *é ela mesma*, temendo ser descoberta.

Ah, Impostora, achando que ninguém mais no mundo é impostor?

Ascensão

Entrei na TV Globo em julho de 2014. Fui chamada para cobrir as férias de uma colega repórter no programa *Mais Você*. Disseram pra mim com todas as letras que não abririam vagas. Era só para ser substituta mesmo.

O mês de julho passou e a outra repórter voltou. Triste, eu contava os dias que antecediam o fim do meu contrato e do meu sonho. Um misto de gratidão e decepção.

Dois dias antes da despedida, fui chamada pela diretora do programa para receber a maravilhosa notícia de que haviam aberto uma vaga para mim. O melhor dos mundos: eu entrei e ninguém precisou sair!

Poucos meses depois, recebi um convite para trabalhar em outro programa da emissora, o *Superstar*. Era um programa de música ao vivo. Como sempre, na hora da euforia, eu gritei no carro, de tanta felicidade. Mas quando a euforia passou, foi chegando aquele sentimento familiar de dúvida.

Por que eu? Sou tão novata...
Será que eles sabem que não sou formada em Jornalismo?
E os outros colegas? Alguns estão lá faz quase dez anos!
E se eu não for tão boa quanto a apresentadora anterior?

E aí, aquela notícia que era para ser maravilhosa se tornou uma assombração.

Obviamente, se você me visse, jamais diria que eu me sentia assim por dentro. Nada como vestir a nossa boa e velha máscara de "Tô legal, obrigada". Felizmente, já mais consciente desses sentimentos impostores, aceitei a proposta. No fim, foi tudo muito melhor do que eu imaginava.

Para a Impostora, cada degrau que subimos faz a pressão aumentar. O que para muita gente seria motivo de comemoração, orgulho e uma massagenzinha no ego, para nós, Impostoras, é um poço de preocupação.

A sensação é inversamente proporcional: quanto mais sucesso, menos confiança. Por isso, sempre que somos promovidas, aprovadas, indicadas, selecionadas, sentimos que é uma injustiça com os demais. Que alguém em algum canto do cosmos merecia mais do que a gente. Mas, no fundo, isso não é altruísmo nem modéstia. É o medo de não dar conta.

É triste: a gente luta tanto por alguma coisa, mas, quando a conquistamos, só conseguimos imaginar que não estamos preparadas...

Reconhecimento

Eu ainda hoje não sei lidar bem com elogios.

Até agora, consegui mapear duas reações que posso ter ao receber um elogio:

1. Eu não acredito no que a pessoa diz.
2. Eu até acredito, mas não sei como reagir.

Seja qual for a reação, eu fico travada e começo a gaguejar. Sim, já aprendi a não me desculpar e a dizer "Obrigada".

Mas confesso que ainda é bem mecânico. Geralmente falo por falar, sem aceitar de verdade o que a pessoa disse. Penso coisas do tipo: *Ela nem deve entender muito disso para estar me elogiando.* O pior é que, quando tento provar para a pessoa que não há motivo para elogios, aponto como falhei em fazer a coisa certa.

Ai, que triste... Acabo julgando a sensibilidade e a capacidade do outro, que só quis me elogiar.

Por outro lado, tenho a sensação de que, se eu agradecer, estarei concordando com o que a pessoa falou. Tipo, um jeito supereducado de ser prepotente, metida, arrogante. E aí, o Denunciante Secreto de Impostoras Anônimas, que nos espreita a todo momento, em todas as esquinas do mundo, saltará das sombras e apontará o dedo acusador, dizendo: "Ah, então você se acha boazona mesmo, é? Coitada!".

Então, para evitar isso, é melhor responder ao elogio com palavras autodepreciativas.

Se é sobre a minha roupa, eu diminuo dizendo que estava na promoção, que é velha, que é emprestada.

Se é sobre o cabelo, digo que está sem corte, que dormi com ele molhado.

Se é sobre alguma atitude bacana minha, digo que não é nada.

E, se é sobre a minha carreira, falo que é só meu trabalho.

Acredite se quiser: o elogio que mais gosto de receber é que estou cheirosa. Ou seja, algo que depende apenas de um bom perfume com alto poder de fixação. A isso eu respondo com sorriso no rosto: "Nossa, muito obrigada!".

É raro a gente conseguir ser equilibrada e receber o elogio com a mesma simplicidade com que aceitaria uma bala que alguém nos oferece, assim, despretensiosamente.

A Impostora transforma o momento do elogio num grande evento, como um teste ou uma auditoria, quando deveria ser só uma gentileza.

Agora, vamos fazer uma pausa.
A esta altura, você pode estar um pouco nervosa,
e ainda temos muito o que conversar.
Utilize esta página para expressar seus dons artísticos.

CENAS DA MENTE DE UMA IMPOSTORA #2

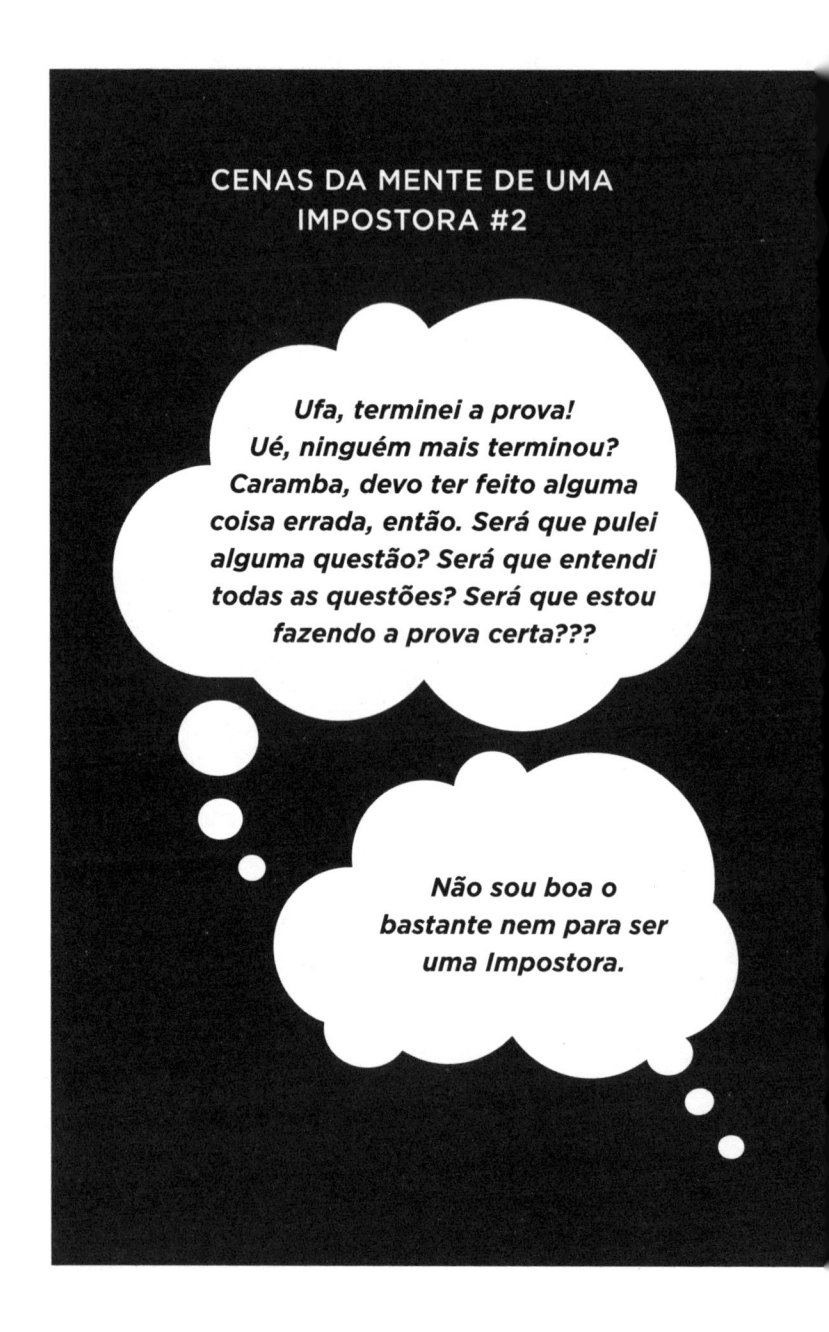

Ufa, terminei a prova! Ué, ninguém mais terminou? Caramba, devo ter feito alguma coisa errada, então. Será que pulei alguma questão? Será que entendi todas as questões? Será que estou fazendo a prova certa???

Não sou boa o bastante nem para ser uma Impostora.

> *Melhor eu não postar isso.*
> *Vão rir de mim.*
> *Bom, já que vão rir mesmo, vou postar de um jeito mais engraçado.*
> *Mas eu não sou engraçada. Vai ficar ridículo. Melhor nem postar nada. Tem um monte de perfil interessante aí, por que alguém iria querer ver o meu?*

> *Se não gostarem do meu trabalho e me criticarem, o que eu vou fazer? Pior ainda: e se gostarem e elogiarem, o que eu vou fazer?*

TPM[14]

TENSÃO PRÉ-MENSTRUAL

O que é?

1. *"recorrência cíclica, durante a fase lútea, de sintomas de humor e comportamentais, em primeira instância, e somáticos, sendo depressão, ansiedade, labilidade afetiva, tensão, irritabilidade, ira, distúrbios do sono e do apetite os mais frequentes."*

2. *"sintomas relacionados diretamente às fases do ciclo menstrual e que podem durar, tipicamente, de cinco a catorze dias. Em geral, pioram com a aproximação da menstruação e usualmente cessam de forma imediata ou logo a seguir (um a dois dias) ao início de fluxo menstrual."*

Mas como é utilizada?

1. *motivo-chave para desqualificar, desvalorizar ou invalidar qualquer opinião, sentimento ou posicionamento mais enérgicos feitos por uma mulher.*

Agora há pouco citei a TPM, né? Achei que esse assunto merecia mais espaço aqui. É bem verdade que nem toda mulher menstrua, mas aposto que todas conhecem uma mulher que foi desvalorizada por causa da TPM ou do seu ciclo hormonal, não é mesmo?

Acho incrível (ou melhor, terrível) o quanto as mulheres têm vergonha de falar sobre seu ciclo e sua fertilidade. A falta de conversa e informação sobre o assunto tem feito a gente tratar como tabu esse acontecimento normal na vida do mundo (sim, do mundo, e não só das mulheres, porque quem não menstrua nasceu de alguém que menstruava). Isso não se comenta, não se explica, não se entende, e aí sobra espaço para aquelas situações ridículas:

> "Ih, melhor conversarmos outro dia. Você deve estar na TPM", no meio de uma discussão conjugal.

> "Tá naqueles dias?" quando, por algum motivo, se é mais enfática em uma reunião.

Uma vez, um cara que eu NUNCA havia visto furou a fila em um show. Eu gritei: "Tem fila!". Ele virou para trás e disse: "Calma, vim só falar com meu amigo aqui. Segura essa TPM aí". JURO! Um completo desconhecido se sentiu no direito de justificar seu mau comportamento com base no MEU ciclo menstrual.

A gente acha que TPM é uma questão da atualidade, mas ela é velha! Alguns papiros encontrados no Egito, escritos por volta do ano 1500 a.C., já falavam de doenças e transtornos que acometiam as mulheres no período menstrual.[15]

Não sei como as egípcias lidavam com a TPM sem um Buscopan à mão. E também não sei por que, tantos séculos depois, esse assunto ainda é mal compreendido e mal interpretado tanto por homens quanto por mulheres.

Nós, mulheres, em vez de educarmos, damos a entender que concordamos que o estigma de histeria e rabugice tem a ver com nosso ciclo menstrual. Que, se uma mulher agir com energia, dureza e – por que não? – um tracinho de irritação (ninguém é de ferro), ela está de TPM.

Agora, se um homem reage da mesma forma, o que dizem? Provavelmente nada ou "Ele é firme, né?".

A ignorância e a desinformação sobre como funciona o corpo de metade da população mundial coloca em xeque a capacidade da mulher, como se o desequilíbrio fosse um traço da natureza feminina. Além disso, detonam a autoconfiança feminina e minimizam a situação que causou o estresse.

Será que eu exagerei? Será que meus hormônios estão me controlando?

Tanta dúvida... Logo a Impostora se instala, e você não tem certeza de mais nada.

QUE LINDA, E TÃO COMPORTADA!

Repare nas famílias que você conhece, especialmente nas que têm filhos e filhas. Como as meninas e os meninos são estimulados? O que se espera de cada um? Que tipo de comportamento é elogiado?

Para os meninos, o elogio sadio é: "Esse moleque não para! É um espoleta, arteiro que só. Sobe em árvores, risca as paredes, quebrou a cabeça não sei quantas vezes. Dá um trabalho!".

Para as meninas, o elogio que se espera é: "Ah, que menina mais fofa! Parece uma mocinha. Fica quietinha, desenhando. Sua filha não dá trabalho nenhum. Ela é tão, tão COMPORTADA!".

Não é difícil ouvir o comentário de que criar meninas é mais fácil do que criar meninos. São mais calmas, quietas, COMPORTADAS.

Quando a menina é mais ativa e menos quietinha, gosta de subir em árvores e não é muito fã de brincar com bonecas, o comentário é: "Essa menina parece um moleque".

Eu venho de uma família de três filhas. Ou seja, não tivemos comparação de gênero dentro de casa. Mas, no caso de famílias com meninos e meninas, sei que há pressão, e essa é uma causa forte para a Síndrome da Impostora. Mulheres que têm irmãos sentem que, na infância, foram muito mais cobradas a se portarem de modo "exemplar". Princesinhas, quietinhas, bibelôs para serem exibidos nas reuniões sociais. Pressão para serem COMPORTADAS. E nem sempre são os pais que induzem esse comportamento, mas tios, vizinhos, avós, amigos, professores, conhecidos (é o famoso "Fecha as pernas, menina!").

E aí, quando essa menina cresce e não se sente tão quietinha, nem mocinha, quando tem vontade de lutar no UFC, de dirigir um carro superpotente ou fazer qualquer coisa que a sociedade julga ser mais "masculina", ela trava. Sente-se uma

Impostora de maquiagem e salto alto, mas também com as mãos sujas de graxa.

Às vezes, a Síndrome não tem a ver com o fato de você não se sentir capaz. É só uma questão de você não estar sendo você mesma.

QUEM DISSE?

Você já se questionou sobre o número de caixinhas que você precisa marcar para ser considerada uma mulher de sucesso?

- ☐ Menstruar até os 12.
- ☐ Decidir a faculdade antes dos 18.
- ☐ Escolher a profissão antes dos 25.
- ☐ Ter estabilidade financeira antes de se casar.
- ☐ Casar até os 30.
- ☐ Ter filho antes dos 40.
- ☐ Ter descoberto o sentido da vida antes dos 50.
- ☐ Ter carro, limusine, casa, casa na praia, casa no exterior, fazenda, jatinho, iate... e se possível um foguete antes dos 60.

E por aí vai...

Pois é! Sentiu a pressão? Nunca paramos para questionar essas convenções sociais que ditam o ritmo e até as prioridades da nossa vida.

Pense, por exemplo: por que usar salto alto em um casamento sabendo que, em determinada altura da festa, você vai tirar o sapato e passar o resto da noite com medo de pisar num caco de vidro ou tropeçar na barra do vestido?

Problemão, certo? Qual a solução?

Ir sem salto? Não... Distribuir Havaianas! (Mais um item com que a coitada da noiva vai ter que se preocupar e gastar uma fortuna numa festa que já é tão cara!)

E, por falar em casamento, você já se perguntou por que o pai leva sua filha até o marido no altar?

Antigamente, o casamento era uma transação financeira (em algumas culturas, essa é a realidade até hoje). Por isso, era arranjado – ninguém faz negociação "por amor". A noiva era uma "propriedade", transmitida da família do pai para a do noivo, e o pai levava a moça pessoalmente ao pretendente, em vez de "mandar entregar", para ter certeza de que o noivo não ia dar para trás na hora e arruinar a negociação. Daí vem o costume de a noiva ser levada pelo pai ao encontro do noivo no altar.[16]

No seu casamento, você é livre para fazer o que quiser. Entrar com o pai, sozinha... Quem sabe, descer em uma nave, que nem a Xuxa! Acredito que o importante é você fazer isso porque quer, porque faz sentido para você, e não porque "tem que ser assim".

Quem disse?

Até 1962, quando foi promulgado o "Estatuto das Mulheres Casadas" (pirei com esse nome), as casadas não podiam votar, trabalhar, abrir conta em banco, viajar nem ter comércio sem a autorização do marido.[17] Se ninguém tivesse combatido essas convenções, estaríamos nessa até hoje. Mas graças a alguém que falou "Quem disse que não posso viajar por conta própria?", hoje as mulheres podem desfrutar de uma liberdade que até relativamente pouco tempo atrás não era possível a nossas avós.

A EXTERMINADORA DO PRESENTE

Uma tendência que percebi em mim durante as crises da Síndrome da Impostora foi a de ser incapaz de viver o presente. Eu estava sempre pensando no passado ou no futuro.

Estas frases rondavam a minha mente:

Eu deveria ter estudado muito mais para estar aqui.
Por que vivi aquele relacionamento?
Não darei conta de sustentar este cargo no futuro.

Era o **passado** jogando **culpa**, e o **futuro** trazendo **ansiedade**. Obviamente é importante avaliar o nosso passado e aprender com ele. Ou ressignificá-lo para nos tornarmos mais fortes.

Pensar no futuro também é inevitável, desde que isso seja feito como prevenção. Um bom exemplo de prevenção é planejar a aposentadoria. Mas gastar uma noite toda pensando numa viagem de avião inevitável não vai nos ajudar em nada.

E sabe o que é mais irônico? Quando vivemos nesse espaço-tempo alterado, gastamos toda a nossa energia. Aí, quando chega a hora H, que está no momento presente, já fomos consumidas pelo passado e pelo futuro. E estamos exaustas.

E se, por alguns instantes, eu simplesmente fosse grata pelo aqui e pelo agora? E se eu entendesse que o único momento que existe e que posso viver integralmente é este instante? É tudo o que eu tenho, tudo o que de fato posso mudar e tudo o que posso experimentar com todos os sentidos.

E se eu fosse grata pelos recursos que possuo, em vez de focar no que me falta (ou no que acho que deveria ter)? E se eu for grata pela oportunidade **agora**, em vez de me preocupar com o que vai acontecer com ela amanhã?

Quando estamos conectados com a realidade que nos cerca agora, nada mais importa. Nem o que passou, nem o que virá.

COMPARAÇÃO E DESAMOR

A Impostora tem uma mãe, e ela se chama Comparação.

Com o tempo, aprendemos a nos desamar, em vez de fazer o contrário. É isso mesmo! Ninguém nasce achando que tem mil defeitos. Desenvolvemos isso com o passar dos anos, e a comparação tem um papel fundamental nesse desserviço.

A comparação é um mecanismo cognitivo do ser humano. Sem ela, não conseguiríamos subir ou descer degraus, pois não teríamos referência de altura, tamanho ou distância. Então, é impossível dizer que, em algum momento, vamos parar de nos comparar com os outros.

Mas existe uma forma saudável de fazer isso: a inspiração.

Lembra quando você ouviu "Se você quiser ser como o fulano, tem que..." ou "A fulana tirou uma nota maior que a sua"? Todas essas comparações, a princípio inofensivas, vão deixando marcas profundas na nossa autoestima. Isso vai sendo reforçado pelos estereótipos de "meninas x meninos", pelas imagens de mulheres "perfeitas" na mídia, pelos padrões inalcançáveis de sucesso que levam você a se comparar o tempo todo com o que é considerado ideal.

Na comparação, focamos nos recursos que não possuímos e usamos como referência os resultados de outras pessoas, e isso gera frustração em nós. Por outro lado, a inspiração nos leva a adaptar nossos recursos e a aprender com o caminho que outras pessoas percorreram para o sucesso, e isso nos motiva.

COMPARAÇÃO		INSPIRAÇÃO
↧		↧
Focamos os recursos que não temos		Adaptamos os recursos que temos
↧	X	↧
Almejamos o resultado de outras pessoas		Focamos o caminho para o sucesso
↧		↧
FRUSTRAÇÃO		**MOTIVAÇÃO**

Pense em alguém com quem você constantemente se compara. Faça o exercício de tentar mudar sua forma de olhar para ela: busque inspiração em vez de comparação.

MEUS DISFARCES DE LUXO

Nenhuma Impostora consegue se sair bem sem o seu disfarce. São necessárias camadas e mais camadas para ocultar nosso verdadeiro Eu.

Cada uma tem sua estratégia. Eu, durante muito tempo, usei a mais óbvia: o consumismo.

Sapatos, bolsas, óculos, jaquetas, joias. Tudo para me cobrir. Era como se, usando todos esses acessórios, eu não precisasse me apresentar. Como se o luxo estampado em meu corpo em forma de tecido, logos, fivelas e etiquetas fosse o meu cartão de visita. Parecia um diretório de lojas, de tanta marca que eu carregava. Mas, para mim, a mensagem que eu transmitia silenciosamente era: *Veja, tenho sucesso! Poder! Dinheiro!*

Foi então que, um dia, eu fui ao shopping com a receita dos meus primeiros óculos de grau. Entrei em uma ótica e fui provando todos os modelos. Dior, Fendi, Tiffany & Co. com armação verde-água, Chanel, Prada... Todos de marcas caras, chegando a custar R$ 1 mil, R$ 2 mil. Até que:

"Nossa! Amei esse, moça. Que marca é?".

"Chama Charm."

"Charm o quê? Qual é a marca?"

"Só Charm mesmo. É brasileira. Custa R$ 147,00."

Larguei na hora a armação. Segui na busca dos óculos perfeitos, mergulhada em minha "cegueira" das marcas. Provei todas as armações da loja, mas nenhuma caiu tão bem quanto a Charm. Mas como participar de uma reunião importante sem o meu disfarce? Sem os meus óculos do sucesso, que provam que venci na vida?

Algumas lojas depois, saí do shopping pensando nos óculos de R$ 147,00. Fui embora incomodada. Em casa, tive um daqueles momentos de lucidez, nos quais questionamos o padrão que seguimos cegamente, sem nunca termos nos perguntado o porquê. O tal do "Quem disse?".

BUUMMM! (cabeça explodindo)

Meu Deus! Fui enganada!

Entrei no meu *closet* e observei tudo aquilo acumulado. Cada peça que eu havia comprado. Cada momento que perdi dentro de lojas durante minhas viagens. Me deu um enjoo, seguido por uma sensação de dó. Uma enorme autopiedade. Que vazio é esse que tento suprir fazendo compras?

Fechei os olhos e me perguntei: *O que é sucesso para você, de verdade?*

Vieram várias respostas à minha cabeça: contribuição, propósito, paz, sustento. Nenhuma delas estava ligada à ostentação.

Não vou mentir, não. Passei por momentos em que usar sapatos de sola vermelha e uma bolsa de corrente dourada original me dava a sensação de estar segura. Mas onde estavam as minhas maiores riquezas: a simplicidade, a humildade e um belo sorriso cativante? Provavelmente esmagadas pela sola vermelha ou amarradas nas tais correntes.

Depois dessa epifania de pensamentos e lembranças, voltei ao shopping no dia seguinte e saí com meus belos óculos Charm e com a leveza de ter economizado.

Fiz uma limpa em meu guarda-roupa. Doei duas Hermès Birkin (não vamos comentar o valor dessa bolsa). Vendi tudo o que eu só amava porque representava minhas conquistas.

Anos se passaram. Hoje, se você cruzar comigo em algum lugar, pode ter certeza de que a última coisa que chamará a sua atenção em mim será algo que possa ser comprado. Inclusive percebo que outras mulheres ficaram muito mais à vontade com a minha presença depois que abandonei meu disfarce.

AME AS PESSOAS E USE AS COISAS. O CONTRÁRIO NUNCA FARÁ VOCÊ FELIZ.

Continuo com meus óculos Charmosos. E agora, sim, eu consigo enxergar você também.

ATENÇÃO: EU NÃO REPRESENTO TODAS

Quando a Síndrome da Impostora foi "descoberta", ela foi inicialmente detectada em um pequeno grupo restrito. Não é à toa que o título do artigo escrito por Pauline e Suzanne é:

> **PSICOTERAPIA: TEORIA, PESQUISA E PRÁTICA**
> **VOLUME 15, Nº 3, ABR-JUN 1978**
>
> O fenômeno do impostor em mulheres bem-sucedidas: dinâmica e intervenção terapêutica
>
> **Pauline Rose Clance**
> **Suzanne Ament Imes**

Ou seja, o grupo do estudo inicial era composto só de mulheres que, de uma forma ou de outra, eram consideradas bem-sucedidas.

Mas as pesquisas mais recentes sobre o assunto mostram que a Síndrome da Impostora não está restrita a pessoas bem-sucedidas, com altos cargos, nem somente a mulheres. Ela é "democrática" (igual ao Brasil, risos): pode atingir qualquer pessoa com dificuldades de pertencimento. Isso porque, na verdade, o mundo ainda não é "democrático". Muito pelo contrário: ele ainda é injusto, preconceituoso, desigual e cruel.

Acontece que essa sensação de deslocamento não se traduz do mesmo jeito para todos. Nem para todas. Assim, o que eu compartilho aqui com você diz respeito à minha realidade, ao recorte de mulher que eu represento: branca, privilegiada, e certamente devo cometer muitos equívocos racistas e classistas nessa minha interpretação. Já peço desculpas por isso. (Quando este livro estiver circulando, já terei lido mais livros, tomado mais lições nas páginas da bell hooks, por exemplo. Estou em eterna desconstrução.)

Cada grupo – aliás, mais que isso: cada INDIVÍDUO – vai sentir a Síndrome de forma diferente. Neste meu percurso de pesquisa e descobertas, percebi que a minha visão é apenas um recorte. Por isso, convidei algumas amigas queridas para relatarem como vivem a Síndrome da Impostora, cada uma na própria pele.

> "Eu sempre fui uma pessoa criativa. Minha família descobriu isso quando eu ainda era muito pequena. Eu acordava cada dia sendo uma coisa diferente: pianista, motorista de caminhão, dentista, vendedora de gravatas, nadadora olímpica... Todas as coisas que eu fazia, fazia com uma convicção inquestionável. Mas aí eu cresci, e só na fase adulta me descobri uma mulher negra. Esse processo de consciência da minha identidade preta veio com uma bagagem, e um dos pesos foi a Síndrome da Impostora. O mito da democracia racial nega o racismo no Brasil, e com isso questiona a minha negritude por eu ser uma mulher negra da pele clara. Todos os dias, me questiono sobre a minha falta de legitimidade, sobre a minha falta de embasamento teórico suficiente, sobre esse lugar de educadora social. A Síndrome da Impostora é uma realidade para muitas mulheres, mas com a intersecção do racismo, tudo pesa, no mínimo, duas vezes mais sobre o corpo, o coração e a consciência de uma mulher preta."
>
> **Debora Bastos**, educadora social

> "A sociedade não está preparada para avaliar profissionalmente as pessoas com deficiência. Essa é a minha realidade, que me força a procurar artifícios e, por vezes, ser Impostora para conseguir provar minha competência, meu talento e minha inteligência. No meio artístico, no qual há padrões esperados para altura e beleza, por vezes me vejo obrigada a encaminhar meus materiais falando que tenho 1,50 m de altura, o que não é verdade, já que tenho nanismo (1,22 m). Mas, se não for dessa forma, quando terei oportunidades? Então, esta sou eu: me chamo Juliana Caldas e no fundo eu sei que minha capacidade é muito maior que minha altura. Mas infelizmente me considero uma Impostora de 1,50 m de altura por precisar criar oportunidades de trabalho."
>
> **Juliana Caldas**, atriz

> "Lembro-me de quando eu era jovem e ainda não tinha um RG que condissesse com quem, de fato, eu era. Ele também não tinha o nome que escolhi ter. Por isso, precisei falsificar um. Sim, falsifiquei. É errado, é crime? É! Mas eu ia preferir ser presa por 'falsidade ideológica' a passar pelo constrangimento de ser tratada pelo nome masculino. Hoje em dia, o cenário mudou muito. Subimos alguns degraus, mas ainda estamos longe do 'ideal'. A comunidade LGBTQIA+, em especial as trans, ainda é marginalizada e, muitas vezes, alvo de piadas de mau gosto. Há alguns anos consegui trocar toda a minha documentação; na época foi o primeiro caso em que na certidão veio escrito 'sexo feminino' sem

qualquer menção a ser trans. Foi algo inédito e abriu jurisprudência para casos futuros. Foi um avanço. Aliás, estar viva aos 40 anos, ser bem-sucedida e ter uma vida 'normal' é uma vitória, haja vista que a expectativa de vida de uma trans no Brasil é de 30 a 35 anos. Nosso país é recordista em homicídios contra travestis e trans no mundo. Mesmo eu sendo vista por todos como uma fortaleza inabalável, só eu sei dos tantos momentos em que me senti uma Impostora. Mesmo sendo essa mulher positiva que sou – porque acredito que não podemos dar aos problemas peso maior do que eles de fato têm –, houve momentos em que quase desabei. Mas segui em frente!"

Carol Marra, atriz e jornalista

"Eu tinha 13 anos quando recebi uma bolsa de estudos em uma escola particular. Na época, passei todo um ano tendo pesadelos, nos quais a escola se arrependia de ter me dado a bolsa de estudos e eu voltava a estudar em uma escola pública. Eu tinha 18 anos quando fui aceita em Harvard, também com uma bolsa de estudos integral. Achava esse sonho tão inalcançável que perguntei para a pessoa responsável por me dar a notícia se aquela ligação não era trote. Quando, quatro dias depois da minha aceitação em Harvard, perdi meu pai para as drogas, acreditei que, daquela vez, realmente tinha dado um passo maior do que a perna. Eu só enviei meu 'sim' à universidade semanas depois, por incentivo dos meus professores, que não conseguiram me convencer de que eu daria conta do desafio, mas que me fizeram ver que

> poderia levar muitos anos até que outro estudante periférico tivesse aquela mesma oportunidade. Já na faculdade, no meu primeiro ano, tinha certeza de que nunca aprenderia inglês e que, eventualmente, todos se dariam conta de que eu não era tão boa assim. Seis anos depois, minha luta pela educação me levou a me candidatar ao cargo de deputada federal. No dia da eleição, mais uma vez, demorei a acreditar que tinha mesmo sido eleita. Eu ainda estou aprendendo a lidar com ataques, ameaças e tentativas de me desqualificar. Diariamente, me esforço para me lembrar de que eles não têm nada a ver com a minha capacidade, e sim com o machismo, que tenta nos convencer de que, no meu caso, o lugar da mulher não é na política. Às vezes, eu não consigo e, ainda que por pouco tempo, me questiono se deveria mesmo estar aqui, até que percebo que a melhor resposta que posso dar é transformar o meu medo e a minha insegurança em luta, para que outras mulheres também possam ocupar o seu lugar."
>
> **Tabata Amaral**, cientista política

Impossível não me comover com as palavras dessas amigas queridas, e não perceber que, mesmo dentro desta vasta Sociedade Secreta de Impostoras Anônimas, existem abismos gerados por preconceito e estigmas raciais e sociais.

# DESPINDO-SE DO **DISFARCE**

HORA DE BRILHAR

Bem, minha querida parceira de disfarce, sei que a vida, não por acaso, nos uniu por meio dessas palavras, dessas confissões. Gostaria que tivéssemos reconhecido a Síndrome antes. Que tivessem nos alertado sobre ela na escola ou quando já não nos achávamos pertencentes.

O que vivemos até aqui faz parte da nossa história. Com ela, ficamos calejadas. Às vezes, parece vir um aperto no peito, uma desilusão por perceber que são tantas camadas para serem desfeitas antes de chegarmos ao nosso verdadeiro Eu, que só nascendo outra vez para mudar. Para ser segura. Dona de si.

Infelizmente, não posso afirmar que encontrei a cura definitiva. Algo que aniquile a Impostora.

MAS, SIM! É possível combatê-la ou, melhor ainda, acolher essa mulher que está exausta de tantas pressões externas e internas. É possível abraçá-la.

O primeiro passo é ter consciência de que ela existe, para ter o diagnóstico de que ela existe aí dentro de você (a esta altura, acredito que isso já tenha acontecido).

Agora, falaremos sobre como fazer essa virada, esse recomeço de assumir nossa real identidade. Como se despir do disfarce. E não ter medo.

É HORA DE BRILHAR...

(Deu até um frio na barriga!)

Basta

Reconexão

Informação

Luta

Hábito

Acolhimento

Rede de apoio

Basta

O primeiro passo depois de você se reconhecer em tantas características da Síndrome é decidir que não quer mais empacar. É fazer a promessa de que estará atenta a todo e qualquer gatilho que possa fazer a Impostora dominar. É preciso coragem, pois a sensação de exposição, quando resolvemos andar por aí sem nosso disfarce, não é assim tão "livre estou!" no início. É como estar nua. Sentiremos falta da armadura, da desistência, da procrastinação. Dessas coisas que nos trazem uma proteção psicológica.

Achamos que o sentimento de insuficiência e de incapacidade está relacionado ao que os outros pensam de nós. Mas ele é, acima de tudo, o resultado do que achamos de nós mesmas. Então, antes mesmo de nos apresentar ao mundo, temos que saber quem somos.

O caminho do autoconhecimento é o capítulo inicial de toda mudança. Ioga; meditação; terapia freudiana, lacaniana, comportamental, reikiniana; coaching, Barras de *Access Consciousness*, TSER da Rafa Brites (superindico, hein? rsrs). Não importa a forma que leve você a acreditar no seu potencial. Quando você se achar capaz e interessante, aí sim irá oferecer ao mundo sua melhor versão.

E as críticas? Ah, elas sempre virão. Mas, em vez de recebê-las e ficarmos nos martirizando e nos penalizando, iremos primeiramente ponderar sobre elas. Se sentirmos que elas oferecem uma oportunidade de melhora, de evolução, é assim que olharemos. A falha é uma oportunidade de progredir.

Viver em estado de alerta é importante. Quando damos um basta na voz interior de depreciação, quando a entendemos e a substituímos por uma voz acolhedora e motivadora, começamos a trilhar um caminho maravilhoso. Sem volta.

Reconexão

Imagine uma nave alienígena pousando na sua rua. Dela sai um exército de ETs à la *Alien x Predador*, armados até os dentes (os quais são armas também). Eles batem na sua porta e dizem, com uma voz cavernosa de robô com garganta inflamada: "Viemos exterminar toda a humanidade... Argh... Exceto aqueles que tiverem algo para nos ensinar".

O que você faria? Como salvaria sua pele?

(Se você não acredita em ETs, pode reconstruir a cena com zumbis, Stormtroopers ou baratas voadoras...)

Tenho certeza de que você inventaria qualquer coisa para se salvar. "Olha, sei fazer polichinelos! Sei amarrar o sapato! Sei me fazer de estátua até vocês voltarem para o buraco de onde vieram!"

Nós temos o mau hábito (ou seria o vício?) de reparar apenas nas coisas em que não somos boas ou no que precisamos desenvolver. Acabamos nos esquecendo das coisas em que somos hábeis.

É preciso se reconectar com sua história e seus talentos para resgatar seu valor.

Acredito que perdemos a conexão quando aprendemos a nos comparar. Aí estabelecemos padrões que não refletem quem somos.

Não serei hipócrita de dizer que a vida é sempre um mar de rosas. Mas quero encorajá-la a se apropriar da sua vida, do seu passado.

Suba nesse unicórnio, e vamos lá!

Não conheço seu passado. Mas sei que, por mais doidos que tenham sido alguns momentos, você pode olhá-los com certo distanciamento e ressignificá-los. Não quero dizer "apagá-los" nem "menosprezá-los", mas entender qual foi o aprendizado.

Nossa história faz de nós pessoas únicas. Ela nos dá sabedoria. E sabedoria não vem só de fazer pós-graduação, de ser PhD ou de virar madrugadas estudando. Sabedoria também vem da vivência. Quando nos desconectamos das nossas origens, deixamos para trás também o saber.

Enquanto você não se reconectar com sua história e reconhecer sua singularidade e seu valor, não estará cumprindo seu propósito. E aí, vai se frustrar por tentar caber no espaço que é do outro.

Sua beleza e seu valor estão na sua singularidade, e não no quanto você se esforça, se dedica, se empenha. Enquanto não se assumir e não se aprofundar em si mesma, para potencializar o seu eu, você sempre será o *fake* de alguém.

E o mundo todo sai perdendo.

Informação

A informação nos liberta e abre caminhos para a mudança. Estudar a nossa história é fundamental para entender o reflexo dela na sociedade e em nossa vida. Infelizmente, nem tudo que nos ensinaram na escola é a versão real dos fatos. A história que aprendemos (no atual padrão de ensino) é narrada pelo ponto de vista de homens brancos, cisgêneros, héteros e quase sempre vindos de famílias ricas.

Ou você ainda acredita que o Brasil foi "descoberto" por Pedro Álvares Cabral?

Crescemos sem educação quanto à nossa ancestralidade, desrespeitando e massacrando muitos povos, e ainda cometendo apropriação cultural. Quem não entende de onde vem dificilmente consegue entender onde está (campo fértil para uma Impostora, hein?).

Informe-se. Leia livros (ponto para você, que já está fazendo isso). Busque versões alternativas para fatos aparentemente "resolvidos". Procure o depoimento de outras Impostoras que deixaram a máscara cair e aprenda com elas. Inspire-se na história de outras pessoas para escrever sua própria história, chegar às suas próprias conclusões e criar sua própria estratégia.

E tome cuidado com a informação que você consome.

☞ Informação boa é aquela que nos dá condições de caminhar com as próprias pernas. Ela pode ser gratuita ou paga, mas nos empodera a criar uma estratégia, em vez de nos tornar dependentes do método X ou Y, de gurus ou até de Impostores reais (o mundo está cheio deles!).

☞ Não olhe para o depoimento de outras mulheres como o único caminho sagrado a seguir. Cada uma lida com a Síndrome do seu jeito. Inspire-se nelas, em vez de se comparar a elas.

☞ Não faça da informação ou da falta dela um empecilho para brilhar. Leia e estude dentro do que é possível para você. Trabalhe com os recursos que você tem, em vez de adiar até o dia em que se sentir devidamente equipada (acredite em mim, esse dia nunca irá chegar!).

Luta

Talvez "Luta" não seja a palavra mais fofa do BRILHAR. Mas faz parte. Até onde eu sei, nenhuma mudança vem sem confronto (o que não é mais um problema para nós a esta altura do campeonato, né?).

Existe uma luta individual e interna que combate os efeitos da Síndrome da Impostora. Mas há outra, mais abrangente, que irá combater a CAUSA dessa Síndrome.

Por exemplo: de que adianta pendurar suas roupas no varal com o maior capricho se logo vem um temporal e estraga tudo? Você precisa construir um telhado para proteger suas roupas nesse varal. Precisa mudar o AMBIENTE.

Nossa luta é para mudar ambientes e situações que geram e fazem proliferar a Síndrome da Impostora. Temos que construir uma atmosfera em que ninguém sinta a necessidade de se mascarar como Impostora para se achar capaz. Isso envolve desde pequenas ações – como não rir de uma piada machista em uma reunião de trabalho (o famoso "climão" pode ser necessário) – até apoiar movimentos que defendem o aumento do número de mulheres em cargos políticos. A luta também passa por exigir reparações históricas por meio de ações antirracistas e inclusivas.

Sou uma pessoa que, poucas vezes na vida, fez afirmações categóricas. Mas, se tenho uma certeza, é de que a revolução (de que nosso mundo tanto precisa) virá de nós, mulheres, mães, filhas, parceiras, profissionais, cidadãs, pois, na luta por um mundo melhor, não nos calaremos diante de injustiças.

Você está nesta luta comigo?

Hábito

Chamo também de "estar de tocaia". Hoje eu sou alguém que está sempre ali, na moita, pronta para revidar quando surgem pensamentos de Impostora.

Particularmente, não creio que a Síndrome da Impostora tenha uma cura (não desanima, tem um PORÉM). Porém, ela pode ser controlada, assim como pressão alta ou diabetes, para não oferecer mais riscos para sua saúde mental e emocional.

O segredo está no HÁBITO.

Pense: na Síndrome, a gente tem o hábito de questionar a intenção dos outros, a nossa capacidade, as nossas conquistas... Não foi um comportamento que surgiu do nada. Nós treinamos para fazer isso, e hoje repetimos essa atitude de forma automática.

Então, é totalmente possível a gente educar o nosso Eu interior, aquela voz com quem a gente dialoga o tempo todo, a ter hábitos mais saudáveis e construtivos.

Alguns bons hábitos para você colocar em prática já:

☞ **Monitore os pensamentos. Tem a ver com liderar a si mesma.**

☞ **Identifique os obstáculos.** Compartilhei com você o meu EMPACAR, as coisas que acordam a Impostora e fazem eu me sentir uma fraude. Talvez a gente tenha alguns pontos em comum. Talvez não. Então, avalie-se: em quais situações você começa a questionar seu valor, suas conquistas? É na presença de determinadas pessoas? É quando você está em locais ou compromissos específicos?

☞ **Prepare estratégias para lidar com os obstáculos.** Se preciso, monte um "caderninho tático" e carregue com você. Por exemplo: eu me sinto Impostora quando vou falar num grande evento – e me sinto pior ainda quando sei que na plateia tem alguém que eu superadmiro. Minha estratégia nessas horas é parar uns minutos antes e pensar: *Vim aqui compartilhar o que eu aprendi. A minha própria história, minhas próprias descobertas.* Vou me acalmando. Não que eu não fique nervosa quando pego o microfone, mas não me sinto mais a Impostora da noite.

☞ **Visualize o sucesso.** Atletas profissionais geralmente se veem cruzando a linha de chegada. Faça isso antes de um momento tenso. Imagine você dando a melhor palestra da sua vida, sendo contratada, liderando sua equipe com propriedade. Isso vai diminuir seu estresse e fazer você pensar: *Puxa, por que não?*

☞ **Recompense-se.** Elogie um trabalho bem feito. Comemore uma conquista. Não espere o elogio ou o reconhecimento vir dos outros. Dê a você mesma a honra de ser a primeira pessoa a parabenizá-la.

Acolhimento

Sabe aquela amiga com quem você pode contar a qualquer momento? Que está sempre disposta a levantar o astral quando você tá para baixo?

Pois bem, você consegue se imaginar chegando para essa amiga querida, depois de ela ter terminado um relacionamento, e dizer: "Mas também, você não é tão interessante assim"? Ou, depois que ela teve um dia ruim no trabalho, virar e falar: "Nossa, até que você está durando lá..."?

JAMAIS!

A gente nunca trataria pessoas queridas desse jeito.

Mas por que fazemos isso com a gente?

Por que nós nos cobramos tanto? Por que somos tão cruéis conosco, principalmente quando estamos mais vulneráveis?

Agora, imagina viver com uma inimiga dessas 24 horas

por dia ao seu lado. Aliás, ao seu lado, não! DENTRO de você! É muito pior.

Percebe como é tóxica e humilhante a conversa que mantemos na nossa mente?

A gente cresce aprendendo a falar com os outros de maneira educada: "Obrigada", "Por favor". Aprende a fazer elogios e a perguntar se precisam de ajuda. Não existe a possibilidade de alguém lhe trazer um copo d'água e você não dizer "Obrigada", não é? Então, eu pergunto: qual foi a última vez em que você se agradeceu ou pediu "Por favor" para si mesma?

Somos analfabetas. NUNCA aprendemos a nos comunicar internamente de maneira generosa, solidária. A acolher o Eu interno que está triste, enlutado, envergonhado, perdido...

Pare de vez em quando na frente do espelho e se ofereça um sorriso, quem sabe até uma piscadinha de olho, sem reparar se sua pele está ruim ou se a olheira está funda.

Você pode argumentar, dizendo que são apenas "pensamentos". Eu respondo com a citação que ouvi do meu pai a vida inteira:

> "Cuidado com seus pensamentos,
> pois eles se tornam palavras.
> Cuidado com suas palavras,
> pois elas se tornam ações.
> Cuidado com suas ações,
> pois elas se tornam hábitos.
> Cuidado com seus hábitos,
> pois eles se tornam seu caráter.
> E cuidado com seu caráter,
> pois ele se torna seu destino."
> (Frank Outlaw)[18]

Rede de apoio

Eu pirei quando descobri que a Michelle Obama se sentia da mesma forma que eu.

Me senti tão próxima dela! kkkkk

Na verdade, conforme eu falava da Síndrome da Impostora e dos meus sentimentos, muita gente dizia: "Nossa, Rafa, eu sinto a mesma coisa!".

Quando a gente toma coragem de se abrir e compartilhar como se sente, as pessoas vão se identificando. Você percebe que não é a única que duvida de si mesma. Com isso, em vez de se sentir excluída e deslocada, você se vê como parte de uma comunidade enorme, transcultural, superabrangente: a Sociedade Secreta das Impostoras Anônimas.

Quebrar o silêncio e expor seus sentimentos é libertador. Se a gente não conversa, não descobre quais são as dificuldades das pessoas ao nosso redor nem a história delas. Da mesma forma, não falamos das nossas dificuldades, da nossa história. Esse "desconhecimento" cria um terreno bem propício para comparação e julgamento – situações-gatilho que detonam a gente. Mas, quando criamos essa rede de apoio, quando somos francas sobre nossos sentimentos e estamos dispostas a ouvir, compreender e acolher os sentimentos dos outros, não tem por que usar máscaras.

Falar sobre a Síndrome da Impostora e ser franca sobre os próprios sentimentos é, até hoje, a maneira mais certeira de lidar com a sensação de fraude. Por isso, todas nós, Impostoras Anônimas, precisamos estar dispostas a romper o silêncio e criar redes de apoio ao nosso redor.

Como em toda rede, além de receber suporte, você deve estar pronta para oferecê-lo. Fique atenta aos gatilhos do EMPACAR e muitos outros que podem atingir mulheres à sua volta (homens também, coitadinhos). Seja essa força para as pessoas próximas a você.

> *Como já disse aqui, tratamos de questões internas que são o reflexo de muitas questões externas. E podemos fazer a diferença. Como cidadãs, podemos lutar por TODAS as mulheres. Dentro do nosso gênero ainda existem abismos sociais e raciais que precisam ser reparados. Podemos fazer mudanças em nosso cotidiano, porém, muito além disso, elas PRECISAM ser estruturais. Mas como?*

Na minha opinião, a política é a melhor ferramenta para isso acontecer. Ah, Rafa, aí você delirou, né? Política? Eu, hein! Odeio política.

Aí eu digo: quem sabe você esteja decepcionada por não se sentir representada. Pois é, no Brasil, a representatividade feminina nos cargos públicos é mínima. Somos mais de 50% da população e não ocupamos nem 15% dos cargos eletivos.

Nosso papel como rede de apoio é sermos também essa rede propulsora. Incentivarmos mulheres a se candidatarem, combaterem a Síndrome da Impostora (imagina como bate forte)... Pressionarmos por uma equidade nas disputas, nos financiamentos de campanha e, é claro: votarmos em mulheres. Negras, brancas, trans, lésbicas, portadoras de deficiência...

Então, fortaleça essa rede. Pode começar indicando, presenteando ou repassando este livro aqui (só não vale tirar xerox).

Provavelmente, assim como eu, você irá se surpreender ao perceber que nossa Sociedade Secreta de Impostoras Anônimas é muito maior do que você imaginava.

CARTA DE DESCULPAS

O contrário da rede de apoio são os julgamentos que fazemos de outras mulheres. Um ódio histórico estimulado pela falsa ideia de que nós, mulheres, somos rivais. Tento diariamente me libertar desse sentimento prejudicial para apoiar mais e mais mulheres.

Um dia desses, escrevi esta carta de desculpas, para relembrar os momentos em que fraquejei. Convido você a fazer essa reflexão e, quem sabe, até a escrever a sua versão.

Eu queria pedir desculpas.

Desculpa por eu ter achado que você queria roubar meu namorado, me passar a perna no trabalho, pegar minha vaga, ocupar meu espaço.

Desculpa por ter fofocado sobre a sua vida. Por ter chamado você de gorda, de magra, de piriguete, de maria-chuteira, de maria-gasolina.

Desculpa por ter falado que você deu o golpe da barriga. Coisa feia falar isso, né? Hoje eu me envergonho.

Desculpa por não ter defendido você quando homens, numa roda de bar, chamaram você de vagabunda. E pior, eu devo ter rido junto.

Desculpa por ter xingado você só porque você era ex. Ou por ter te julgado por você ter ficado com alguém comprometido. Como se o cara não tivesse culpa, coitadinho! Só que eu nem sei se você tava sofrendo, não sei se você foi iludida. Mesmo assim, eu julguei.

Desculpa por eu ter pegado uma foto sua para ficar procurando defeito. Sabe, é que você tava tão linda que tinha que ter alguma coisa. Eu aprendi que nós somos rivais, concorrentes. Não foi na minha casa, porque lá nós somos em três irmãs, superunidas. Tenho várias amigas. Mas você não é da família nem da roda de amigas. Você é essa outra mulher.

Desculpa também pelas vezes em que eu desmereci qualquer conquista sua, dizendo que você usou outros recursos que não eram sua inteligência e seu mérito. Disse que você era filha de alguém ou que tinha feito o teste do sofá. Eu era muito imatura quando disse isso. Jamais faria de novo.

Desculpa por não me aproximar de você, e impedi-la de se aproximar de mim. Ou por ter feito você se afastar. Quando mulheres se afastam umas das outras, elas se afastam de quem são. A gente se afasta da nossa natureza, da nossa potência, da nossa força. Criaram isso, de dizer que a gente tá concorrendo e que a gente é rival, para nos enfraquecer. E realmente nos enfraquece demais! Ninguém ganha essa disputa. Todo mundo sofre!

Talvez tenham falado tudo isso de mim também. E, assim, a gente nunca se aproximou.

Então, espero que você me desculpe.

CENAS DA MENTE DE UMA IMPOSTORA
REHAB

Da série "Já vi esse filme antes"

> *Eu não estava preparada para fazer aquilo, só que eu não podia virar e dizer "Não consigo". Iriam descobrir que sou uma fraude! Mas, calma, ninguém é perfeito! Posso dizer que fiz o melhor e que estou disposta a aprender o que não domino.*

> *Ela é tão mais dedicada que eu! Trabalha de dia, de noite, de fim de semana... Opa... Será que estou sentindo cheiro de Impostora? Vou chamá-la num canto, e convidá--la para a SSIA. Quem sabe, conseguimos ajudar.*

SÍNDROME DA IMPOSTORA

> Oh, não, a moça do RH está vindo. Fui descoberta. Já sabem que eu procuro as respostas no Google. Que tomei multa no radar de velocidade. Que no inverno eu ia com o pijama por baixo do uniforme da escola. Peraí, ela está sorrindo! Hum, será que eu vou ser promovida?

> Uau! Meu livro está na estante da livraria ao lado do Karnal e da Manuela d'Ávila! Que emoção! Mas ele tá muito no fundo, assim ninguém vai ver e comprar. "Ei, atendente, por favor! Pode colocar meu livro um pouquinho mais pra frente, em destaque? Pode ter alguém precisando dele."

"NÃO" É UMA FRASE COMPLETA

Uma das maiores dificuldades de uma Impostora é negar algo para alguém. Como sempre, precisamos sentir que fomos além. Que nos esforçamos mais. Ficamos mais disponíveis do que deveríamos.

Dizer "Não" é uma tarefa quase impossível.

Ficamos sobrecarregadas, assumindo muito mais do que seríamos capazes. Nos viramos em mil para não dizer "Não" (mesmo quando, por dentro, nos remoemos e nos xingamos por saber que o certo, mais uma vez, era não ter cedido).

Quando, por vezes, tomamos fôlego, respiramos fundo e conseguimos negar algo, essa negativa sempre vem seguida de uma justificativa.

"NÃO VOU PORQUE..."

E vamos nos explicando. Dizemos que estamos sem tempo, sem dinheiro, sem ter com quem deixar o filho... Por aí vai. E, a cada explicação dada, vamos dando abertura para a pessoa oferecer soluções e opções que nos façam mudar de ideia, até que seja inconveniente demais manter o "Não".

"AH, VOCÊ NÃO PODE DEIXAR ELE COM SUA MÃE?"
"VEM DE TÁXI!"
"ABRE UM CREDIÁRIO."
"A GENTE PODE PARCELAR ESSE VALOR EM 900 VEZES."

Mas quero dizer uma coisa: "Não" é uma frase completa. Começo, meio e fim: está tudo aí dentro.

Claro que não queremos ser grosseiras, mas é apenas dizer: "Poxa, infelizmente eu não posso desta vez". E ponto-final.

(Talvez você precise treinar um pouquinho na frente do espelho.)

Mas é isso. Não sabe dizer "não"? É só dizer.

(Você já disse "não" para si mesma tantas vezes...)

NÃO POSSO.
NÃO ESTOU DISPOSTA.
NÃO PRECISO.
OBRIGADA, MAS NÃO.

TRANSIÇÃO DE CARREIRA

E aí, o que você vai ser "quando crescer"?

Tenho certeza de que você já ouviu ou reproduziu essa frase em algum momento da vida. A resposta para essa pergunta normalmente é baseada em coisas de que gostamos muito, ou na profissão de alguém que temos como referência. Queremos ser médicas veterinárias porque gostamos de bichos, ou apresentadoras de TV por causa da Xuxa (ou da Ana Maria Braga, no meu caso). Existe, ainda, a possibilidade de querer ser engenheira ou administradora por causa profissão da mãe ou daquele tio legalzão.

Quando a gente é criança, tudo é mais fácil e claro. Mas aí a gente cresce um pouco e vem a adolescência, com aquele turbilhão de emoções. A hora de decidir está cada vez mais próxima, e a confusão na nossa cabeça só aumenta.

Lá pelos 17 anos, você precisa saber o que vai fazer profissionalmente para o resto da sua vida (como se isso fosse possível, né?). Saber o que você faz melhor, do que gosta, muitas vezes sem nem conhecer metade das possibilidades que existem no mundo. Isso não parece meio louco para você? Para mim, parece super!

No meu caso, nessa idade, decidi seguir a carreira do meu pai. Ele é empresário. Mas sabe quais faculdades ele fez? Veterinária e Direito. Ou seja, né?

Se voltarmos no tempo, séculos atrás as pessoas praticamente nem tinham a opção de escolher sua profissão. Em uma família de sapateiros, os filhos provavelmente se tornariam sapateiros. Aqueles que saíam da tradição familiar eram vistos até como rebeldes, por desejarem fazer algo diferente. Com o passar do tempo e o desenvolvimento da indústria, trabalhar em uma grande empresa passou a ser o sonho de muitos jovens. As estatais e os concursos públicos então... Uhuuu! Os aprovados eram o orgulho da família.

No entanto, tudo mudou. Eu já trabalhei em vários lugares, alguns por mais tempo, outros por menos. A vida agora é assim. A evolução traz mudanças de pensamentos, opiniões e desejos. Novas profissões surgem, enquanto outras são extintas.

A Comissão Econômica para a América Latina e o Caribe (CEPAL) divulgou um dado interessantíssimo: cerca de 65% dos alunos que hoje estão na Educação Básica vão trabalhar em uma profissão que ainda nem existe[19]. Eitaaa!

É isso. A profissão ainda nem foi inventada.

Especialistas apontam que, apesar de o futuro do trabalho ser tecnológico, o que será valorizado são as habilidades humanas. Nós seremos necessários exatamente onde os robôs (tão logo) não chegam, entende?

Mas vamos dizer que você faz como eu. Toma coragem e decide mudar de profissão. Encarar a tal "transição de carreira". Aquele momento em que ainda estamos começando na nova área, com a impressão de que o mundo está nos olhando com cara de "ué": "Você não fez administração de empresas? Tá fazendo o que aqui na TV?", "Você não era apresentadora? Tá fazendo o que dando aulas de autoconhecimento?". E assim por diante.

Sei do medo que tantas pessoas têm de mudar.

O que tenho para dizer a elas (e para você) é que ninguém muda de carreira!

Oi?

Como assim?

Pois é! Carreira é tudo o que você constrói ao longo da vida. Ao mudarmos de profissão, não deletamos o que já foi vivido. Muito pelo contrário, levamos uma bela bagagem, que eu divido em 5 Cs.

Conhecimento

É tudo que aprendemos em contato com o outro, todas as trocas realizadas com as pessoas à nossa volta. Quando entramos em uma nova empresa ou trocamos de profissão, levamos as informações adquiridas ao longo do processo.

Contatos

São todas as pessoas que você conheceu, as parcerias que fez e as redes de apoio que criou ao longo de sua carreira. Cada um que passa pela sua vida é importante para o seu crescimento profissional e, principalmente, pessoal.

Cofrinho

Quem trabalha quer e merece ser remunerado. O cofrinho é o dinheiro que você está conseguindo com o seu trabalho, ou o que está conseguindo guardar. É importante avaliar se o que você ganha é condizente com o papel que você desempenha, e se é o bastante para suprir suas necessidades.

Curtição

É ter prazer no que você faz. Sair toda manhã para trabalhar nem sempre é fácil (tem dias em que a gente quer ficar na cama o dia todo mesmo!), mas, quando gostamos de estar onde estamos e de exercer nossa função com um propósito maior, todo o esforço é gratificante. Isso é curtição!

Contribuição

De que forma o seu trabalho está contribuindo na vida das outras pessoas e que tipo de valor ele gera? Pense: seu ofício está fazendo alguma diferença no mundo?

NÃO TENHA MEDO DE MUDAR!
O mundo não irá parar e esperar que você
se sinta totalmente segura.

QUANTO VALE?

Se você, leitora, sofre com a Síndrome da Impostora, sei que uma de suas principais dificuldades é saber o seu próprio valor. O valor intrínseco mesmo. Dar importância a si mesma.

Isso se reflete na hora de cobrar um valor monetário pelo seu serviço.

Aí ferrou!

O que eu mais vejo são mulheres dizendo que não sabem cobrar pelo trabalho que realizam. Maquiadoras, cabeleireiras, advogadas, dentistas. Não importa. A verdade é que existe uma sensação de que, se aumentarmos o preço, ninguém vai pagar. Ou pior, vão dizer: "Quem ela pensa que é para cobrar isso?".

Conheço casos de amigas minhas que, muitas vezes, chegaram a pagar para trabalhar. Isso mesmo! O que elas cobraram não cobriu nem os custos do serviço.

E pedir aumento na empresa então? Só de pensar, dá dor de barriga.

É como se, ao colocar um preço mais baixo, estivéssemos nos protegendo de cobranças ou críticas. Tipo: pagou menos, espere por menos. E aí, pronto. Nos sentimos blindadas. Vai que descobrem a Impostora! Pelo menos serei Impostora em promoção!

Quantas vezes, na minha vida, não negociei bem o cachê por achar que estaria pedindo demais? Eu achava que estavam "fazendo o favor" de me contratar. Eu, hein? Ainda ir lá e ficar pleiteando? Nem pensar...

Certa vez, me ligaram da empresa em que eu trabalhava para dobrar o meu salário. Isso mesmo. Um rapaz do RH ligou para dizer que eu receberia um aumento. Na hora, fiquei muito assustada.

"Vou ter que mudar de cargo ou algo assim?"

"Não, é só um aumento mesmo."

"Nossa... Claro, aceito, mas estava satisfeita com o salário anterior. Olha, pode falar aí para os chefes que eu nunca me queixei, viu?"

"É só uma equiparação salarial, Rafaella, para você ganhar o mesmo valor que as outras pessoas que exercem a mesma função que a sua."

Ops... Eu estava, já fazia um tempo, ganhando MENOS que todo mundo! Mas longe de mim questionar isso! Afinal de contas, já tinham me dado essa grande oportunidade de trabalhar para eles. Eu não seria mal-agradecida.

Com o passar do tempo e, claro, à medida que minha autopercepção aumentava, percebi meu AUTOVALOR e fui deixando de ter medo de cobrar um ALTO VALOR (trocadilho genial, hein?). No início, eu ainda mandava o orçamento e colocava no final: valor aberto a negociação.

Hoje, apenas mando. É claro que, muitas vezes, me pedem para negociar. É uma prática comum no mercado. Mas também é comum receber uma mensagem simples: "Fechado, Rafa!".

Abaixo você encontra algumas dicas para saber como e quanto cobrar.

Seja profissional

Você pode estar começando, não tem problema. Mas tenha sempre um cartão de visitas e, se possível, um e-mail profissional (causa uma impressão muito melhor que @hotmail, @gmail, @etc.com). Invista um pouquinho para se destacar.

Se não quiser, não fale o seu preço na hora

Já errei muito com isso. A pessoa pergunta na lata quanto é e a gente se sente na obrigação de responder na hora. Estando ali, cara a cara. Para uma Impostora, isso é mais desesperador ainda. Não há problema algum em responder depois. A gente precisa se sentar, fazer contas. Eu, inclusive, prefiro dizer: "Olha, mando hoje mesmo o orçamento certinho". E sempre mando com o orçamento um textinho bacana valorizando meu trabalho. Você pode, por exemplo, dizer quanto tempo tem de experiência ou anexar fotos de um trabalho recente. Algo que mostre que você entende do assunto e tem sucesso.

Se precisar, coloque alguém nessa função

"Rafa, realmente não sei cobrar. Tenho pavor disso."

Peça ajuda para alguém. Uma amiga, um parente ou, se possível, um funcionário que possa fazer a negociação. Um segredo: você pode usar um e-mail apenas com o nome da empresa, sem a sua assinatura pessoal. No final, pode escrever apenas "Muito obrigado" e colocar a assinatura da empresa. Isso desconecta você do orçamento, e mostra para o cliente que ele está lidando com a empresa. Isso já me ajudou muito!

Saiba seu custo

Sou formada em Administração e, mesmo assim, já deixei de calcular meu custo de maneira correta e saudável, deixando de fora coisas como transporte, equipamento, alimentação etc. É preciso levar em conta TUDO o que você precisa usar para realizar aquele trabalho para, então, dar seu preço. Se você faz *home office*, não deixe de colocar os custos de usar o espaço da sua casa.

"Mas, Rafa, eu não pago nada!"

Ah, não? Quem paga a conta de luz, de água, de internet?

Se o trabalho aumentar, aumente o preço

Ah, quem nunca fechou um trabalho que, a princípio, era algo supersimples, bem rapidinho, e que acabou tomando muito mais tempo que o combinado?

Não tenha vergonha. O ideal é ter um valor pré-estabelecido para cada atividade extra. Por exemplo: uma hora de terapia custa X. Se, no fim da sessão, o paciente pedir para você dar "só uma olhadinha" numa coisinha qualquer, e isso tomar mais dez minutos, ofereça a ele uma sessão mais longa e, claro, cobre a mais por isso.

Não se justifique

Passe o seu valor sem se justificar. Em vez de fazer isso, enalteça seu trabalho, sua qualidade e seu valor.

É muito comum ver uma profissional com a impressão de que está ofendendo o cliente ao passar o preço. Uma manicure, por exemplo, se justifica dizendo: "É R$ 50. É que você sabe, tem o custo do esmalte, que é caro, e tem ainda a condução para vir até aqui etc.". Em vez disso, ela poderia apenas ter dito: "Você vai adorar. Minhas clientes, depois que fazem a mão comigo pela primeira vez, não me largam mais. O valor é R$ 50". Ponto.

ABRACE SEU MICO

Em 2015, o jornal britânico *Sunday Times* fez uma pesquisa com 3 mil pessoas, para descobrir qual era o maior receio delas. E 41% responderam que era falar em público.

Você tem ideia do que isso significa? As pessoas têm mais medo de falar em público que de morrer.

Na verdade, o medo de falar em público é o medo do julgamento, medo do ridículo, medo de errar. Mas você já percebeu como nós nos divertimos quando o outro se atrapalha? Muitas vezes, isso acontece porque nos identificamos com a cena. Quando uma pessoa está em foco, temos a tendência de pensar que ela é especial, é melhor que a gente. Se ela erra, isso pode nos aproximar. Não é à toa que gostamos tanto de ver os erros de gravação de nossos programas prediletos, né?

Então, use o erro ao seu favor! Use-o para se conectar com as pessoas. Se você estiver naquele momento importante e errar, é só dizer: "Nossa! Viajei aqui. Não é nada disso". Faça a correção e siga em frente.

Sabe por que essa estratégia vale a pena? As pessoas sentem uma conexão enorme com a vulnerabilidade. A gente se sente confortável em ver que a pessoa que está em foco também é vulnerável. Não é que você vai planejar o erro, mas se isso acontecer, não se desespere. Aproveite o momento para cativar seu público.

E, se a estratégia não funcionar, ao menos não com todos, saiba que isso é um problema dos outros e não leve para o lado pessoal. Quem não simpatiza com vulnerabilidade não vale a pena. O importante é que você não enxergue como um defeito seu, mas como uma dificuldade do outro de ter empatia pelo próximo.

Muitas vezes, quando não tenho todas as informações necessárias para falar de um assunto, eu trago para minha vida.

Conto experiências pessoais. Todo mundo tem uma história boa para contar. Mesmo que você não tenha estudado nem se preparado, tudo o que viveu até o momento lhe dá bagagem suficiente para começar a falar.

Outra dica: antes de começar a falar, respire fundo e controle a sua respiração. Essa é uma técnica antiga para diminuir a ansiedade. Aliás, ela serve para todas as situações da sua vida, já que respirar nunca é demais. Feche os olhos e relembre da satisfação que você já sentiu quando fez algo bem feito! Deixe esse momento se espalhar pelo seu corpo.

Por fim, declare seu medo! Muitas vezes a insegurança dificulta as coisas, e nem sempre conseguimos eliminá-la antes de falar. Para driblar isso, no momento de começar o discurso ou a apresentação, se você tem medo de falar em público, o melhor a fazer é confessar isso. Não é dizer que você está com medo, mas se libertar da pressão interior. Essa é mais uma estratégia para ativar a conexão pela vulnerabilidade.

No final das contas, o que é pagar mico? Se for dar uns tropeços no caminho em busca dos meus sonhos, então jamais evitarei um mico. Pelo contrário, pagarei micos com todo o carinho. Enquanto eu pagar micos, saberei que estou no caminho certo.

PREFERE 0 OU 50?

Já ouviu falar de procrastinação?

É o hábito de deixar para mais tarde, para amanhã, para a semana que vem, para nunca mais (beijo, tchau) o que poderia ser feito agora. É o velho "empurrar com a barriga".

Parece que é só mais um mau hábito para a nossa coleção (que um dia, quem sabe, eu vou resolver). Mas é um problema sério. Dizem que 20% da população mundial admite procrastinar. Eu particularmente acredito que os outros 80% estão apenas procrastinando sua confissão...

Em que as pessoas procrastinam? Tudo: compromissos pessoais, tarefas profissionais, fazer exercício físico, ler um livro, plantar uma árvore, lavar a louça, cuidar da saúde, fazer planejamento financeiro, ligar para parentes, pedir desculpas, fazer um curso, montar um site.

A procrastinação é algo que não temos a menor vergonha de admitir. Não é vista como ofensa: "Olha lá, que pessoa procrastinadora!". Talvez por isso não a levemos tão a sério quanto deveríamos. Mas e se eu substituísse essa palavra por "medo" ou "egoísmo"?

"OLHA LÁ, QUE PESSOA MEDROSA!"
"NOSSA, QUE PESSOA EGOÍSTA!"

Talvez seu pensamento mude.

Quer ver um exemplo meu?

Eu pensava assim: *A hora que eu sentar para escrever meu livro, não vai ter para ninguém!* Meu livro já era um sucesso na minha cabeça. Eu mentalmente lustrava os prêmios literários acumulados nas prateleiras da minha imaginação.

Só que...

EU NÃO TINHA A PORCARIA DO LIVRO!

(Desculpe, livrinho, a mamãe te ama!)

Falando sério, o que me impedia de sentar e botar em prática esse sucesso todo que eu estava imaginando?

Só podia ser uma coisa que já mencionei milhares de vezes aqui: o medo.

Medo de falhar, medo de não ser esse sucesso todo, medo de ter mais trabalho do que eu imaginava, medo de perceber que eu não tinha tanto conteúdo assim para rechear um livro... Enfim: o medo que toda Impostora carrega dentro de si.

Aí, para não lidar com o medo e continuar com a sensação gostosa que chamo de "sucesso imaginário", o que eu fazia? Procrastinava. Eu adiava a escrita do livro para não enfrentar a realidade, que é muito diferente do lindo campo da ilusão.

A procrastinação me "protegia" do medo de falhar.

Mas percebi que, anota aí: enquanto não tentasse, eu já tinha falhado!

Na nossa cabeça, as coisas vão dar 100% certo (quando a gente sentar para fazer, claro). Mas, na vida real, temos só metade das chances: 50% de dar certo e 50% de dar errado.

O lance é: o que você prefere? Os 100% da ilusão (que equivalem a 0% no mundo real) ou os 50% que podem dar certo?

Se você topar os 50%, vem comigo.

1. Programe pequenas recompensas

A gente geralmente deixa de lado o que é complicado, que só vai dar retorno lááá na frente (tipo o Imposto de Renda, que vai ser restituído sóóó no segundo semestre), para se gratificar com coisas que dão retorno imediato. Ver um vídeo engraçadinho. Comer um chocolate. Comprar caneta colorida (essa sou eu). E aí vai procrastinando o importante com milhares de coisinhas que trarão prazer instantâneo.

Inverta o jogo. Crie pequenas recompensas que levarão você para mais perto de completar a tarefa maior. Tipo: a cada capítulo que eu concluir do meu livro, vou comprar uma caneta nova (por isso que estou aqui com minhas 30 canetas novas).

Ou seja: em vez de comemorar só quando a última tarefa for concluída, estabeleça pequenas metas e comemore quando alcançar cada uma delas.

2. Procure a inevitabilidade

É mais fácil ainda procrastinar quando a gente não tem que prestar contas para ninguém. Buscar a inevitabilidade é encontrar coisas que deixam a gente sem saída. Por exemplo: posso evitar a declaração de IR durante dois meses. Mas tem uma data limite lá, e se eu não entregar a declaração até aquele dia, posso ser investigada, multada, presa etc.

Faça isso com seu sonho. Comprometa-se com alguém, publique nas redes sociais o que você vai fazer. Crie estratégias que tornem impossível adiar mais. Eu, por exemplo, publiquei: "Gente, meu livro vai sair em setembro!". E agora? Agora, Rafa, taca-lhe pau nesse computador, porque você tem um livro para publicar em setembro.

Quer deixar mais difícil?

Coloque seu dinheiro em jogo. Isso mesmo: APOSTE. Pegue seu vestido favorito, dê para sua irmã e diga: "Se eu não fizer X até dia tal, você não me devolve esse vestido".

3. Conte até 5

Na verdade, a contagem é regressiva: comece do 5 e conte até o 1.

5

4

3

2

1

BORA FAZER ISSO!

E é assim que hoje você está com o meu livro nas mãos!

ESPELHO, ESPELHO MEU...

- Espelho, espelho meu, existe alguém mais bonita do que eu?
- Sim.
- Mais esbelta?
- Sim.
- Mais jovem?
- Opa!
- Mais engraçada?
- Com certeza.
- Mais talentosa?
- Não tenha dúvida.
- Mais alta?
- É claro.
- Mais baixa?
- Vááárias.
- Mais rica?
- Tá de brincadeira, né?
- Que faça um brigadeiro de panela melhor que o meu? (Duvido!)
- Tem, sim.
- Que tem notas melhores que as minhas?
- Sem dúvida.

SÍNDROME DA IMPOSTORA

— Mais capaz do que eu?
— Um monte.
— Mais inteligente?
— Yes.
— Mais competente?
— Aham.
— Mais bem preparada?
— Siiiim.

Duas horas depois...

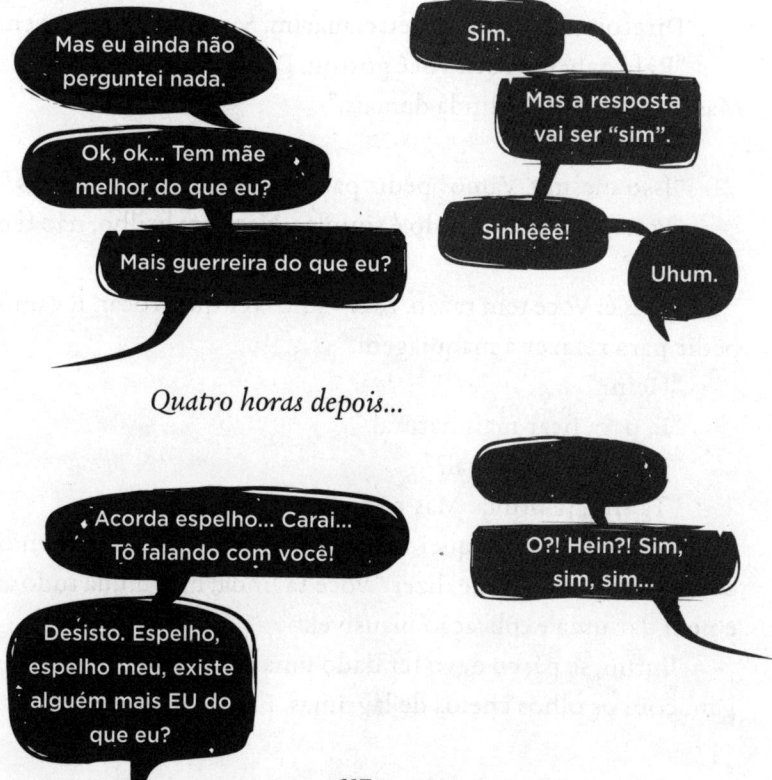

— Mas eu ainda não perguntei nada.
— Sim.
— Ok, ok... Tem mãe melhor do que eu?
— Mas a resposta vai ser "sim".
— Mais guerreira do que eu?
— Sinhêêê!
— Uhum.

Quatro horas depois...

— Acorda espelho... Carai... Tô falando com você!
— O?! Hein?! Sim, sim, sim...
— Desisto. Espelho, espelho meu, existe alguém mais EU do que eu?

A BENGALA DA APARÊNCIA

Certa vez, eu me preparava para apresentar um programa na TV ao vivo. Aquela estrutura toda. Maquiagem, figurino. Eis que chegou um vestido para eu usar. Pensa num vestido lindo! Simples. Sem ser muito chamativo. Mas pensa em um caimento que ficou perfeito!

Naquele dia, eu tinha amado a maquiagem (tenho dificuldade de gostar de makes, sou chata para isso). Mas naquele dia estava perfeita, bem natural.

Me olhei no espelho e me achei lindona. Eu estava acostumada a correr na rua como repórter. Zero glamour. Mas aquele era um programa do horário nobre. Programa de shows! Me senti a Beyoncé.

Diretores entram no meu camarim. Saem. Voltam e dizem:

"Rafa, sabemos que você gostou. De verdade, você tá linda! Mas infelizmente tá linda demais."

"Oi?"

"Isso mesmo. Vamos pedir para vestir algo mais simples."

"Poxa, mas esse vestido é simples. Não tem brilho, não tem estampa."

"Pois é. Você tem razão. Mas vamos ter que trocar. E vamos pedir para refazer a maquiagem."

"Hein?"

"É, para ficar mais natural."

"Mas não tá natural?"

"Tá sim, tá ótima. Mas pode ficar menos..."

Bom. Na hora, fiquei megachateada. Poxa! Não entendia como uma pessoa pode dizer "Você tá linda, mas muda tudo aí" e nem dar uma explicação plausível.

Enfim, se pá, eu devo ter dado uma borradinha na maquiagem com os olhos cheios de lágrimas. Fiquei superinsegura.

Mas essa noite mudou a minha vida.

Caiu a ficha! Acredito que foi um dos maiores motivos que me deram coragem para escrever este livro. Pensei: *O que eu tenho de melhor para oferecer nesse trabalho?*

Na minha lista de habilidades, não constava a beleza.

Beleza. Se eu estivesse mais arrumada ou bonita, o que mudaria para meu público?

Nada!

O que eu precisava era estar alto-astral! Feliz! Empolgada! Espontânea! Era isso o que me diferenciava.

Virei para a figurinista (que, a essa altura, já tava morrendo de pena de mim):

"Pode trazer o que eles querem. Não tô nem aí! Podemos mudar a maquiagem... F*-se!".

Foi um dos dias em que dei o meu melhor. Simplesmente desapeguei. Como se eu sentisse que as coisas que eu tinha para dizer e a maneira como eu ia falar estivessem acima da minha aparência. Como se eu estivesse numa rádio. Eu tinha que me importar com o conteúdo, e não com o visual.

Foi assim que me desfiz da bengala da aparência.

Já ouvi muitos relatos de mulheres que não foram a festas, não postaram seus vídeos, não compareceram a eventos especiais por acharem que estavam gordas demais, magras demais, com a raiz do cabelo branca, com espinhas no rosto... Essas características externas impediram que elas brilhassem com seu grande potencial interno.

SIGA SEU CICLO

É lindo como as coisas na natureza têm um ciclo próprio.
    A lua tem suas fases.
    O mar tem as marés.
    O ano tem as estações.
    E há mulheres que fazem de conta que não menstruam.
    Já compartilhei que é triste o quanto a menstruação ainda é tabu. Tipo, todo mundo sabe que muitas mulheres menstruam, mas a gente faz de conta que não. Você mesma já deve ter trocado o absorvente na escola, no meio do dia. Ou teve que pedir um para uma amiga! Meu Deus, parecia tráfico de drogas!
    Isso sem falar que não usamos a palavra "menstruação". Ela parece o Lord Voldemort, do *Harry Potter*, "aquele que não pode ser mencionado". Nos referimos a ela usando eufemismos, como:

Naqueles dias (bem bíblico, né?)
De boi (nem para ser "de vaca", poxa...)
Monstruação / Ficar monstruada (Buuu!)
Coisa de menina
Moléstia
Visita mensal (tipo, o carteiro?)
De bode (vide "de boi")
Veio para mim
De véu (num estilo *amish*?)
Regras
No período
De resguardo (é tipo gripe?)
A prima ruiva chegou (dá-lhe, Koleston!)
Bandeira vermelha (ou seja, em pé de guerra)

Virei mocinha
Chovendo na horta (nem dá para entender)
No vermelho (vamos consultar o cheque especial)
De F1 (bem útil para quando precisa fazer um pit stop)
Com visita
Desceu para mim (meio espírita até)
Farol vermelho (bem simbólico... interditada)
Fui premiada (mana, você e todas as mulheres, tá?)

E o famoso "de chico", que vem de "chiqueiro".

"Nossa, Rafa, nunca tinha parado para pensar nisso."

Pois é. Eu demorei anos também para me ligar de toda essa negação. Participei de uma campanha recentemente na qual lembramos que, até pouquíssimo tempo atrás, as propagandas de absorventes mostravam seus produtos absorvendo um líquido azul... *What the fuck?*

Esses e muitos outros eufemismos sobre o assunto nos afastam do contato com a natureza, o ciclo e a fertilidade. FERTILIDADE: esse é o sentido que deveríamos dar à menstruação. Ela é, digamos assim, quase o oposto da gravidez. Mas enquanto muitos querem fazer carinho na barriga de uma gestante, a menstruação é *suja* e precisa ser escondida, interrompida, dissimulada.

Não sou extremista. Não determino como cada pessoa deve se relacionar com o próprio corpo. Você pode amar ficar menstruada, pode não gostar, pode odiar e pode até usar técnicas para não menstruar. Tanto faz, desde que não faça sua escolha por se sentir diminuída por causa de seu fluxo.

Eu mesma, uma época, fiquei de saco cheio de ficar menstruada todo mês e coloquei um dispositivo intrauterino. Provavelmente, devo ter pensado: *Que eu venha homem na próxima encarnação.* Pesado, hein? Porém, com o tempo, fui me questionando sobre as associações que eu fazia com a menstruação, com a minha relação com ela, com o ser mulher. Por fim, me apaixonei por quem sou.

Fui ficando tão entusiasmada com essa variação hormonal que não só retirei o dispositivo como hoje vejo esse período do mês como símbolo de renovação. O único sangue que não vem de violência, de acidente, de doença, mas de fertilidade e possibilidade de vida nova.

Com esse sentimento, estudei para compreender melhor como os hormônios femininos funcionam não só nos dias da menstruação, mas em todo o mês. Com base nisso, desenvolvi meu calendário mensal.

Fico abismada em como nossa sociedade "supermoderna" nunca pensou nisso. As mulheres vivem como se fossem acíclicas. Mas, para quem menstrua, FAZ TODA A DIFERENÇA! Então por que não potencializar as peculiaridades de nosso ciclo a nosso favor?

É possível! Vem comigo que mostro como.[20]

Mulher de três fases

Seu ciclo menstrual começa no dia em que você fica menstruada. Ele passa, então, por uma série de altos e baixos hormonais, que se dividem em três fases.

PRÉ-OVULATÓRIO

Esta fase começa no dia em que você fica menstruada e segue até o dia em que você começa a ovular. Ela dura aproximadamente onze dias.

Os primeiros três dias são os mais difíceis. É quando a gente está inchada, sente cólicas e outros sintomas associados à menstruação. Nossa carga hormonal – assim como nossa disposição – está lá embaixo.

Entre o 4º e o 6º dia, as coisas começam a melhorar. Isso porque seu corpo começa a produzir estrogênio, que é um hormônio estimulante. Com ele, sua disposição cresce, sua capacidade de raciocínio melhora e você começa a se sentir autoconfiante.

Como seu raciocínio vai estar mais afiado, este é um momento legal para planejar projetos e iniciar atividades mais intelectuais. Sabe aquela mentoria que você tava a fim de fazer? Essa é a hora de começar!

PERIOVULATÓRIO

Esta fase é marcada pela sua ovulação e, consequentemente, pelo período fértil. Ela dura, em média, cinco dias.

Tudo começa com o aumento da sua testosterona. Ela dá um *up* geral no corpo e na mente: você se sente mais autoconfiante, mais atraente. Não só se sente como realmente está mais bonita: a pele fica mais uniforme, o cabelo finalmente fica do jeito que você ama. São aqueles dias em que você recebe um elogio e responde: "Obrigada! Acordei assim!".

A testosterona também incrementa suas chances de ganhar massa muscular. Se quiser fazer aquele HIIT para dar uma modelada extra, ou pegar mais pesado na academia, aproveite essa fase!

E, além de tudo isso, a testosterona faz a libido aumentar. Talvez você se sinta mais paqueradora e irresistível.

Nessa fase, aproveite para fazer atividades que exijam autoconfiança: tome grandes decisões, faça entrevistas, execute projetos. Nesses dias, seu estrogênio (que é estimulante, lembre-se!), vai estar no ápice. Então, você vai se sentir bem produtiva. Por isso, se você tiver um projeto bem grande em vista, que vai demandar bastante energia e mente afiada, se organize para focar ele nesses dias, e conte com a ajuda extra dos seus hormônios.

Esses também são os melhores dias para realizar atividades relacionadas à aparência, como fazer uma sessão de fotos ou provar roupas.

PÓS-OVULATÓRIO

A última fase é marcada pela produção de progesterona, e dura até o fim do ciclo (aproximadamente doze dias).

Depois que o estrogênio e a testosterona alcançam o pico no período ovulatório, eles tendem a cair, e outro hormônio entra em cena: a progesterona. Ela é o oposto dos outros dois: deixa você mais introspectiva, sensível (física e emocionalmente) e desacelera o cérebro. Com ela, ficamos mais irritadas, inchadas, temos dor de cabeça, sensibilidade no corpo, em especial nos seios (em outras palavras, TPM à vista, pessoal!). A gente não está tão produtiva quanto antes, e aquele "charme" todo da fase 2 cede lugar a certa agressividade. Talvez você se veja mais impaciente em lugares muito lotados ou muito barulhentos.

Uma boa forma de controlar a agressividade dessa fase é descarregar as energias fazendo atividades físicas mais pesadas, como uma aula de boxe ou um faxinão na casa.

Por outro lado, para diminuir a sensibilidade e a irritabilidade, coloque na sua agenda atividades mais relaxantes, como meditação, massagem, um banho relaxante, um passeio ao pôr do sol... Escolha a atividade que você acha mais relaxante. E, lógico, risque da agenda tarefas mais estressantes, projetos intelectuais que exijam concentração, reuniões longas, grandes tomadas de decisão. Seu cérebro não está mais afiado como na semana anterior. Por isso, não é o momento de escolher entre se casar e comprar uma bicicleta...

E, por falar em casamento, evite a todo custo, peloamordedeus, discutir a relação (a famosa DR). Como a testosterona está lá embaixo, seu desejo sexual também foi para o espaço. Com isso, você vai estar mais irritada.

Lá pelo 24º dia do seu ciclo, sua produção hormonal entra em queda brusca. Aí começa a fase mais punk da TPM. Com a ausência dos hormônios, é possível que você sinta dor mamária, pico de irritabilidade e sensibilidade (é quando a gente fica mais triste, chorosa). Minha sugestão: deixe um bom estoque de barras de chocolate ao seu alcance.

A ideia é você usar essas informações para organizar sua agenda e suas atividades futuras de acordo com seu ciclo. Você pode potencializar algumas atividades aproveitando o *up* estimulante do estrogênio ou a autoconfiança gerada pela testosterona. Pode se dedicar a tarefas mais introspectivas (como escrever um livro) na fase da progesterona, além de ficar longe de situações estressantes e de grandes tomadas de decisão.

Na página seguinte, você vai encontrar um modelo para montar o seu calendário, cuja consulta de texto foi realizada com a Dra. Vivian Stochero..

DESPINDO-SE DO DISFARCE

Dia 22		Dia 15	para EXECUTAR projetos
Dia 23		Dia 16	
Dia 24	e EVITAR grandes tomadas de decisão.	Dia 17	PÓS-OVULATÓRIO: o melhor momento para RELAXAR
Dia 25		Dia 18	
Dia 26		Dia 19	
Dia 27		Dia 20	
Dia 28		Dia 21	

SÍNDROME DA IMPOSTORA

	PRÉ-OVULATÓRIO: o melhor momento para planejar PROJETOS		
Dia 8	Dia 1		
Dia 9	Dia 2		
Dia 10	Dia 3		
Dia 11	Dia 4		
PERIOVULATÓRIO: o melhor momento	Dia 12	Dia 5	
	Dia 13	Dia 6	
	Dia 14	Dia 7	

NA CAMA COM UMA IMPOSTORA

Como já estamos há algum tempo na SSIA, creio que não temos mais espaço para nos preocupar com julgamentos. Bora falar disso.

Geralmente, sou reservada para falar de sexo. Mas esse momento entre quatro paredes pode ser perfeito para o "show" de uma Impostora. Isso porque nossa sociedade é influenciada pelo sexo pornográfico e machista, que propaga uma obrigação da mulher de satisfazer o parceiro e oferecer a ele uma performance incrível, cheia de caras e bocas e gemidos que alimentem o ego do macho alfa e comprovem que ele é a fonte de todo esse êxtase.

Estes são alguns pensamentos que vêm à mente de Impostoras durante o sexo:

> *Nunca acho que estou fazendo certo.*
> *Fico preocupada, me perguntando se o outro está satisfeito.*
> *Não consigo relaxar porque me preocupo com minha aparência (celulite, estrias, gordura, pelos, cabelo...).*
> *Tenho medo de que o outro me ache exagerada.*
> *Tenho vergonha de dizer como gosto de ser tocada.*
> *Não consigo me soltar.*
> *Tenho receio de que ele me ache safada e conclua que não sou uma mulher direita ou que eu vou traí-lo.*
> *Sinto que o outro está fingindo prazer só para me agradar.*

E tem a frase mais famosa, que inspirou o subtítulo na capa deste livro: *Será que eu sou boa o suficiente?*

Na maioria das vezes, o problema está em pensar demais no outro, em especial no que ele vai pensar, em vez de se concentrar no próprio prazer. Isso é dificultado pelo fato de as mulheres serem desencorajadas a explorar o próprio corpo.

Os bloqueios para experimentar prazer também podem ser consequência de traumas da infância ou relações passadas. Não me proponho a abordar essas questões neste livro. Minha sugestão é que você procure um bom profissional para auxiliá-la nisso, caso seja a sua situação.

Aproprie-se do seu prazer. Descubra-se. Toque-se. Procure um(a) ginecologista que possa ajudar você a tirar suas dúvidas sem julgamentos e que respeite suas preferências e sua orientação sexual.

O prazer é natural. Está dentro de cada uma de nós. E mesmo que, de vez em quando, seja divertido usar roupa de couro, venda nos olhos e um chicotinho, não precisamos desse disfarce.

TODO JULGAMENTO É UMA CONFISSÃO

Se você já esteve em alguma das minhas palestras, aulas ou em encontros, sabe que essa é a frase que eu mais repito. Isso porque, quando entendi esse fenômeno, derrotei grande parte dos fantasmas que me assombravam.

Gostaria de convidar você a me acompanhar nesse raciocínio. Reflita nele até absorver tudo. E, por favor, repita essa frase para si mesma quantas vezes forem necessárias.

Muitas das nossas travas, dos nossos nós, se dão por esse enorme medo de sermos julgadas. Eu gosto de dar um exemplo bem simples: se você está andando em uma rua deserta, tropeça e cai (aquela quedinha besta, que nem machuca), você provavelmente se levanta, dá até uma risadinha e vida que segue.

Agora tudo isso muda se a rua estiver lotada, ou se você tropeçar e cair no corredor de um shopping. A vontade que dá é de cavar um buraco e sumir. Isso porque o riso dos outros se torna maior que o tombo em si...

Outro exemplo é o de vááárias pessoas que têm vergonha de falar inglês. Já estudaram um monte, mas, na hora de falar, travam. A minha pergunta para elas é: "Por que você trava?". Elas geralmente dão mil desculpas, mas pode ter certeza, o que elas têm é medo do julgamento: "Vão rir de mim?", "Vou falar tudo errado e passar vergonha".

Pensa comigo: todos nós, ao julgarmos, passamos por um processo cognitivo que envolve nossa cultura, nossa história de vida, nosso contexto, nossas vivências, nossos valores... É impossível fazer um julgamento sem envolver nele quem nós somos.

Aí vem a grande revelação: se todo julgamento necessariamente traça esse caminho interno – TCHARAM! –, ele, na verdade, confessa todos esses diversos fatores da pessoa que está julgando. Por meio do julgamento que faz, uma pessoa confessa muito sobre si.

Quando começamos a fazer esse exercício com nossos próprios julgamentos, preconceitos e opiniões, levamos um susto! "Meu Deus, realmente é impossível separar o julgamento de mim!"

Então, vem o alívio: se uma pessoa rir de você, que está se esforçando para aprender uma nova língua, ou que acabou de tropeçar no shopping e cair, ela que se resolva com as questões dela (rsrsrs). Quanto a você, saia por aí *speaking English* ou *hablando español*.

Cole na sua geladeira, faça um adesivo para o seu carro escrito (eu tenho até camiseta com a frase): Todo julgamento é uma confissão.

CENAS DA MENTE DE UMA ~~IMPOSTORA~~ EX-IMPOSTORA

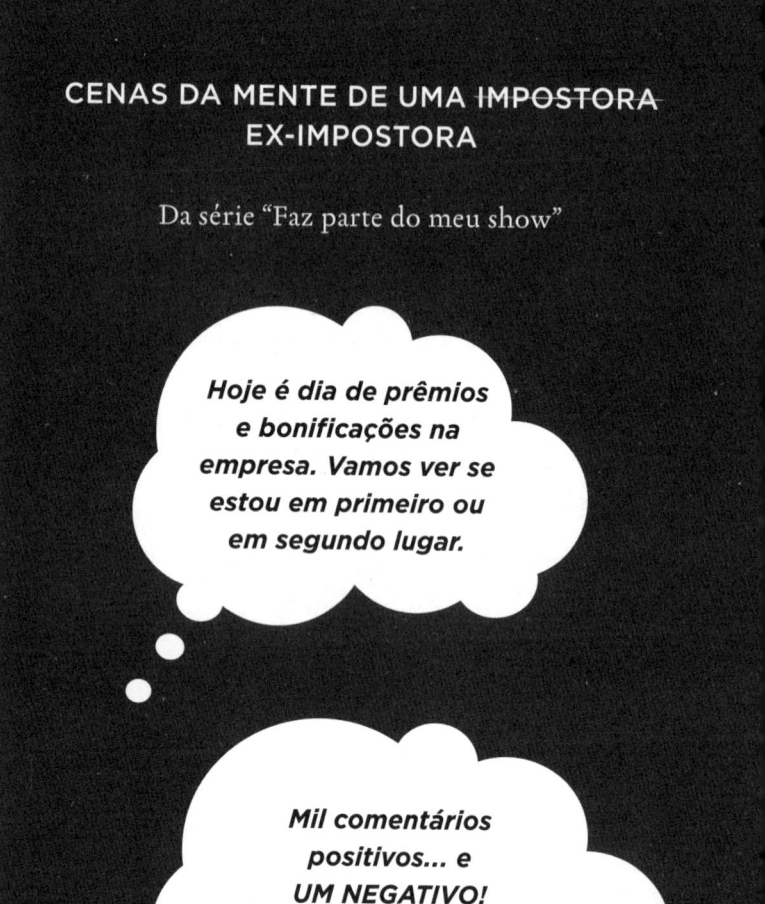

Da série "Faz parte do meu show"

> Hoje é dia de prêmios e bonificações na empresa. Vamos ver se estou em primeiro ou em segundo lugar.

> Mil comentários positivos... e UM NEGATIVO! Cara, eu sou um sucesso.

SÍNDROME DA IMPOSTORA

> Hum, são 21h e recebi um e-mail do trabalho. Isso são horas? Amanhã eu respondo.

> "A sua amiga está de TPM?"
> "Se está ou não, eu não sei. Mas que você é um idiota, tenho certeza!"

ACERTANDO O TERMÔMETRO

Bom, falamos aqui sobre confiar em si mesma, sobre não se comparar!

Tivemos uma explosão de autoestima.

"EU SOU INCRÍVEL! SOU MARAVILHOSA!"
"EU NÃO LIGO PARA JULGAMENTOS!!!"
"UHUUU! EU SOU A MELHOR!!!"

(BARULHO DE FREIOS DE UM CARRO.)

EITA, PARCEIRA, CALMA AÍ!
SENTA AQUI. TOMA UMA ÁGUA.
VAMOS CONVERSAR.

O caminho do autoconhecimento – ou, como eu costumo chamar, da revolução pessoal – pode ser traiçoeiro se distorcermos seu real sentido. Já cruzei com algumas pessoas tão "evoluídas", mas tão evoluídas, que chegam a acreditar que estão acima das outras.

Elas sofrem da Síndrome da Impostora ao contrário. Batizei de Síndrome da CONSULTORA, ou, muitas vezes, do CONSULTOR (rsrs). São tão autoconfiantes que acham que sabem mais. Tratam os outros com um tom de superioridade.

Olha que cilada. A grande beleza do autoamor e da autoaceitação é saber que podemos evoluir, que somos gratas pelo que recebemos e conquistamos. Mas também é saber que existe espaço para ser uma versão melhorada de nós mesmas.

O melhor caminho para crescer? A humildade.

"Calma aí, Rafa, você passa um livro todo me ajudando a confiar em mim, a não ligar para a opinião alheia, e agora, aos

45 do segundo tempo, quer me dizer para ser humilde? Quer que eu volte a achar os outros melhores que eu?"

Então, minha cara ex-Impostora, é nesse momento que entendemos que NÃO somos piores que ninguém, mas tenho que contar: também NÃO somos melhores que ninguém.

> **"RAFA, DESISTO DE VOCÊ. LOGO AGORA QUE TÔ ME ACHANDO A RAINHA DA COCADA?**
> **A SHE-RA!"**
> **(OU A SHIVA, SE VOCÊ É ZEN.)**

Desce aqui... Eu também já me senti assim. É o famoso efeito rebote.

Ele não nos ajuda em nada. Pelo contrário, nos torna arrogantes. Intransigentes. Nos impede de ouvir, aprender e evoluir.

A arrogância é a moeda do inseguro. Se você se sente mal, pode tentar criar a ilusão de ser "melhor" porque precisa diminuir o outro para se sentir bem.

A verdadeira autoconfiança não é se achar melhor que ninguém. É justamente saber a diferença entre comparação e inspiração. Ser a sua melhor versão não significa ter que ser melhor que os outros. Acima de tudo, saiba que todo mundo – inclusive você – tem um estilo único. Todos os estilos têm seu lugar, porque todos são únicos e podem ser eternamente desenvolvidos. E tá tudo bem. Aliás, essa é a verdadeira delícia. A pessoa confiante não diminui ninguém, porque ela não se sente ameaçada por ninguém.

A ideia é que, quanto mais nos amamos, mais aceitamos nossas vulnerabilidades. Quando não sabemos algo, não nos culpamos, mas ficamos empolgadas com a ideia de aprender. Sentimos que estamos no mesmo patamar de todos os seres humanos. Todos com suas glórias e falhas.

Combater a Síndrome da Impostora não significa se achar melhor que alguém. É se considerar semelhante a todos. Se o outro pode, eu também posso!

ESTOU COM VOCÊ

Ao escrever este livro, eu viajei em minha mente por todos os rostos, corpos, personalidades. Imaginei tantas mulheres em situações diferentes tentando chegar o mais próximo de você! Talvez a gente nem se conheça, e este livro tenha chegado até você de maneira completamente aleatória, mas se ao lê-lo você se viu, se identificou, se emocionou, de alguma maneira estamos conectadas.

De alguma forma já me sinto parte da sua retomada de autoconfiança, imagino você agindo. Brilhando. Amando-se. Consigo ver você olhando pro espelho e dando uma piscadinha, respirando fundo antes de mudar de profissão, se expressando sobre seus sentimentos. Sabendo que é merecedora de afeto, desejo e admiração.

Pode acreditar: você está em minhas preces, meditações, textos, discursos. Cada vez que eu vencer meus obstáculos, estou também representando você, assim como me sinto representada por você.

Antes de nos despedirmos, eu queria que você fechasse os olhos por alguns instantes e visualizasse tudo o que sonha. Imagine-se em lugares que jamais pensou em chegar, dizendo palavras que nunca imaginou conseguir sem disfarces. Imagine-se sendo aplaudida, sem vergonha alguma.

Pode ter certeza, em algum cantinho dessa plateia, eu também estarei aplaudindo você.

NOVO SHOW

O ano era 2019. Eu estava prestes a entrar no palco para apresentar uma premiação do jornalismo brasileiro. Espiei por trás da cortina e vi, em poucos segundos, o rosto de quase todos os âncoras de jornais que cresci assistindo. Gente de peso.

Minha pergunta: "O QUE EU TÔ FAZENDO AQUI?".

Por que raios me chamaram para apresentar isso? Será que me confundiram? Será que o organizador entrou nas minhas redes sociais e viu como a minha comunicação é simples? Que eu não sou formada em Jornalismo?

Imagina quantas gafes vou dar! O quanto vão rir de mim depois!

RAFA BRITES, VOCÊ É UMA... É UMA...

Mulher que carrega toda a pressão de uma sociedade historicamente machista.

Você não é melhor nem pior do que ninguém, você é única.

É por isso que está aqui hoje.

Ninguém espera nada além do que você é, você mesma, com suas qualidades e seus defeitos.

Se alguém julgar você, seja solidária com tal confissão alheia.

Se você errar, use isso a seu favor, demonstrando vulnerabilidade.

A melhor maneira de não temer que sua máscara de Impostora caia é entrando agora mesmo, neste instante, SEM ELA.

SEJA AUTÊNTICA.
SEJA ÍNTEGRA!

Síndrome da Impostora: acolhi e dominei você! Agora, não terei vergonha de brilhar!

As cortinas se abriram. Uma sensação de liberdade, generosidade e compaixão tomou conta de mim.
"Boa noite, senhoras e senhores. Eu sou a Rafa Brites."

E VOCÊ, LEITORA?
QUEM É VOCÊ?

SÍNDROME DA IMPOSTORA

Olá, mundo! Eu sou:

_____

(Escreva seu nome.)

NOTAS

1. RICHARDS, Carl. "Learning to Deal with the Impostor Syndrome". Disponível em <http://www.nytimes.com/2015/10/26/your-money/learning-to-deal-with-the-impostor-syndrome.html>. Acesso em 15 de julho de 2020.

2. "Síndrome de Impostor: o que é e como você pode lidar com ela". Disponível em <https://www.bbc.com/portuguese/curiosidades-46705305>. Acesso em 15 de julho de 2020.

3. Huffpost. "Kate Winslet Says Drama Teacher Told Actress To 'Settle for The Fat Girl Parts'". Disponível em <http://www.huffpostbrasil.com/entry/kate-winslet-drama-teacher-fat-girl-parts_n_56c205fbe4b08ffac125e99d?ri18n>. Acesso em 23 de abril de 2020.

4. WESSEL, Rhea. "Feel like a fraud? You're not alone". Disponível em <http://www.bbc.com/worklife/article/20150916-feel-like-a-fraud-youre-not-alone>. Acesso em 15 de julho de 2020.

5. PRIDMORE, Charlotte. "Imposter! Who me? I think you must be mistaken!". Disponível em <http://www.charlottepridmore.co.uk/post/imposter-who-me-i-think-you-must-be-mistaken>. Acesso em 15 de julho de 2020.

6. MA, Julie. "25 Famous Women on Impostor Syndrome and Self-Doubt". Disponível em <http://www.thecut.com/2017/01/25-famous-women-on-impostor-syndrome-and-self-doubt.html>. Acesso em 15 de julho de 2020.

7. FRANCIS, Anna. "Emma Watson: I suffered from 'imposter syndrome' after Harry Potter – I felt like a fraud". Disponível em <http://www.celebsnow.co.uk/latest-celebrity-news/emma-watson-i-suffered-from-imposter-syndrome-after-harry-potter-i-felt-like-a-fraud-90219>. Acesso em 15 de julho de 2020.

8. ANDERSEN, Margot. "Shaking Off The Impostor Syndrome". Disponível em <http://www.margotandersen.com/shaking-off-the-impostor-syndrome/>. Acesso em 15 de julho de 2020.

9. RTE. "Gwyneth Paltrow, Goop CEO, admits she did not finish college". Disponível em <http://www.rte.ie/entertainment/2019/0402/1040192-paltrow-goop-ceo-admits-she-did-not-finish-college/>. Acesso em 15 de julho de 2020.

10. GOUDREAU, Jenna. "When Women Feel Like Frauds They Fuel Their Own Failures". Disponível em <http://www.forbes.com/sites/jennagoudreau/2011/10/19/women-feel-like-frauds-failures-tina-fey-sheryl-sandberg/#7989bdbb30fb>. Acesso em 15 de julho de 2020.

11. CLANCE, Pauline Rose; IMES, Suzanne Ament. "The Impostor Phenomenon in High Achieving Women: Dynamics and Therapeutic Intervention". Disponível em <http://mpowir.org/wp-content/uploads/2010/02/Download-IP-in-High-Achieving-Women.pdf>. Acesso em 23 de abril de 2020.

12. Ted-Ed. "What is imposter syndrome and how can you combat it?". Disponível em <http://www.youtube.com/watch?v=ZQUxL4Jm1Lo>. Acesso em 21 de abril de 2020.

13. Este capítulo foi feito com base em: KERRIGAN, Michelle. "7 Signs You Suffer From The Impostor Syndrome". Disponível em <http://www.businessinsider.com/signs-you-suffer-from-the-impostor-syndrome-2013-10>. Acesso em 11 de maio de 2020.

14. VALADARES, Gislene C. et al. "Transtorno disfórico pré-menstrual revisão – conceito, história, epidemiologia e etiologia". Disponível em <http://www.scielo.br/scielo.php?script=sci_arttext&pid=S0101-60832006000300001>. Acesso em 28 de maio de 2020.

15. Idem.

16. "Why Does A Bride's Father Walk Them Down The Aisle? The History Is Surprising". Disponível em <http://www.elitedaily.com/p/why-does-a-brides-fa-

ther-walk-them-down-the-aisle-the-history-is-surprising-19293365>. Acesso em 26 de junho de 2020.

17. "Cinco fatos sobre direitos das mulheres no Brasil". Disponível em <http://www.aosfatos.org/noticias/cinco-fatos-sobre-direitos-das-mulheres-no-brasil>. Acesso em 26 de junho de 2020.

18. Disponível em <http://www.goodreads.com/author/quotes/13466663.Frank_Outlaw#:~:text=%E2%80%9CWatch%20your%20thoughts%2C%20they%20become%20your%20words.,%2C%20it%20becomes%20your%20destiny.%E2%80%9D>. Acesso em 15 de julho de 2020.

19. "Com evolução tecnológica, 65% das crianças terão empregos que ainda não existem, diz CEPAL". Disponível em <http://nacoesunidas.org/com-evolucao-tecnologica-65-das-criancas-terao-empregos-que-ainda-nao-existem-diz-cepal/amp/>. Acesso em 26 de junho de 2020.

20. Quero agradecer de todo o coração à minha amiga e ginecologista Vivian Zapater Stocchero, que me deu as orientações para escrever esta parte do livro.

**Acreditamos
nos livros**

Este livro foi composto em
Garalda e Gotham e impresso pela
Geográfica para a Editora Planeta
do Brasil em agosto de 2025.